d'aujourd'hui

*collection dirigée par
Jane Sctrick*

CET HIVER-LÀ

CÉDRIC MORGAN

CET HIVER-LÀ

PHÉBUS

*Il a été tiré de ce livre
vingt exemplaires sur vergé d'Arches ivoire
numérotés de 1 à 20,
ce tirage constituant l'édition originale
du présent ouvrage*

Pour Marie-France.

Peut-être sommes-nous ici *pour dire : maison,*
fontaine, pont, cruche, porte, verger,
fenêtre – tout au plus : colonne, clocher...
Mais les dire, comprends-le, oh! les dire de telle
sorte
que jamais au fond d'elles-mêmes ces choses ne
pussent se douter d'être cela.

R.M. RILKE
Les Élégies de Duino

J'ai toujours eu la fascination des jeunes filles. L'âge aidant, le trait s'est accentué. On se prépare de longtemps son bonheur comme son tourment. Je retire ce dernier mot; cette attention soutenue est demeurée pour moi le plus souvent une source d'enchantement, l'occasion délectable de faire naître la rêverie. Parfois même de l'éprouver, de la vivre — sans vraiment le chercher, je veux dire sans mettre d'efforts particuliers à l'obtenir.

Alors, un bref instant, la réalité s'accorde, se confond avec le songe. Blonde ou brune, philosophe ou modérément curieuse, l'une s'offre à me laisser étreindre l'illusion. Cela n'est qu'un moment. L'heure est généralement décevante mais elle ne va cependant pas sans de secrètes satisfactions : déjà compte pour beaucoup le simple fait qu'elle demeure envisageable, à portée; et puis il arrive que la jeune sphinge, par chance encore ignorante d'autres sommets, déclare avec béatitude son contentement et, engourdie, se croit rassasiée; c'est un bonheur ineffable.

Ne vous alarmez pas, Sophie, je n'ai pas comme on dit jeté sur vous un dévolu. Peut-être m'êtes-vous trop chère, sans le savoir, pour que je prenne le risque de vous déplaire. Je veux continuer à vous garder, vous regarder, comme une journée d'été à venir.

Depuis toujours je ne me suis appliqué qu'à des entreprises à ma main, où j'avais de bonnes chances de l'emporter. Les tentatives vouées à la vanité me fatiguent avant même que je m'y sois attelé. J'ai ici choisi simplement de vous écrire; c'est un ouvrage que je pense pouvoir mener à bien. D'autant qu'il s'agit de parler au passé; il y est plus facile de faire preuve d'intuition... J'ai une passion pour l'imparfait, le plus beau temps de notre langue, le temps de tous les possibles, celui du seul durable bonheur. Commençons.

Tout le monde connaissait Jérôme Collin. Du moins les gens qui habitaient notre ville. Et parmi eux, ceux qui achetaient régulièrement le journal. La plupart lisaient *Ouest-France*, quelques-uns, au rang desquels mon père, *La Liberté du Morbihan*.

Chaque année, en juin, Jérôme y était cité une dizaine de fois, dans le palmarès de la distribution des prix de Jules Simon, le seul lycée de Vannes. À son entrée en sixième – on passait alors un examen pour être admis au secondaire, qui prenait la forme d'un concours pour les élèves postulant à une bourse d'études –, il eut sa photo dans *Ouest-France* pour avoir été reçu premier de tous les élèves du département.

C'est vous dire que, tout comme moi, Katia le connaissait de nom et de réputation avant même de l'avoir fréquenté. Pendant des années, elle se l'était entendu proposer chez elle en exemple. Votre grand-mère, à chaque note peu reluisante sur le carnet scolaire, lui citait le jeune Collin et son « entrain » au travail et laissait clairement comprendre à Katia qu'il lui suffirait d'un peu de bonne volonté pour briller pareillement. D'autant qu'à son éducation et à son milieu social, elle devait beaucoup de facilités que le garçon était loin de posséder. Le petit Collin était le fils du facteur alors que Katia descendait — et vous aussi, de fait, on a dû vous le seriner à chaque bêtise que vous commettiez — d'une vieille famille de l'aristocratie polonaise. Ceci n'impressionnait guère vos voisins, mais que votre grand-père ait été ingénieur des Ponts et Chaussées et votre tante chef de cabinet à la préfecture, voilà qui vous « classait » dans la bourgeoisie de la cité.

Katia, quand elle croisait Jérôme dans la rue, se demandait ce qu'il pouvait avoir d'intéressant. Car cette réputation de « premier en tout », comme elle disait, lui tapait sur les nerfs. Elle dut le rencontrer presque chaque jour dans les artères de la petite ville. Jamais il ne lui accorda un regard. La voyait-il seulement? En réalité, il se comportait vis-à-vis d'elle comme il le faisait d'ordinaire à l'égard de l'autre sexe : avec une timidité maladive.

Quand nous devînmes amis, il me confia que le seul fait de croiser le jeudi ou le dimanche une classe de pensionnaires en promenade le jetait dans un malaise extrême. A mesure qu'il progressait le long de la chenille de filles, en rang par trois, il rougissait jusqu'à devenir écarlate avant d'être arrivé à la hauteur des deux bonnes sœurs ou des pionnes qui fermaient la marche. Il sentait sur lui mille paires d'yeux qui lui brûlaient la peau et il lui fallait de longues minutes pour s'en remettre. L'anatomie féminine lui était un mystère et l'intérêt obsessionnel qu'il lui accordait en était d'autant plus vif. Il transposait cette conduite aux filles et s'imaginait que, pour elles aussi, tout élément mâle était l'objet d'une vive curiosité.

Quand il quitta la France, ses études terminées, je l'avais perdu de vue depuis longtemps. Mais de nouveau j'eus de ses nouvelles car il m'écrivit régulièrement tout au long de son séjour de cinq ans en Asie. Aussi, quand il annonça son retour en 1976, je crus que nos relations allaient reprendre comme avant. Vous le savez, il n'en fut rien. Les circonstances en décidèrent autrement.

Je le revis pourtant une journée et une nuit entière après ces vacances tragiques où il vous avait par hasard retrouvées. Pendant des heures il a revécu devant moi, à voix haute, le détail de cette semaine de neige à Sils-Maria. Son propos fut parfois décousu. La douleur était encore trop vive. Sans cesse il s'égara dans des digressions, mais je répugnai à l'interrompre. Ainsi il me parla de ce village suisse où vous veniez de séjourner, se perdant dans des anecdotes à propos de Nietzsche qui y habita alors que sa santé mentale laissait déjà quelque inquiétude.

Un matin de soleil, le philosophe se jeta en pleurant au cou d'un cheval que le cocher maltraitait. Il fallut l'arracher du poitrail de l'animal. En fait, et Jérôme qui était un vrai lettré ne pouvait l'ignorer, la scène se passa à Trieste. Je patientais, attentif au moment où il reviendrait à Katia et à la douloureuse évocation de ces derniers jours. Nous étions au lendemain de ce sombre dimanche.

Vous avez peu connu votre mère et, il y a peu, jamais vous n'aviez entendu parler de mon ami. Je crois utile aujourd'hui de vous rapporter ses confidences, ses aveux. Vous avez largement l'âge de comprendre les mouvements, les manifestations de la passion. Peut-être en avez-vous subi l'apprentissage? Vous m'avez cité l'autre jour Paul Léautaud. Ce que prétend un auteur ne prouve rien. Cette sécheresse, ce cynisme ne sont pas vôtres. Je ne vous crois pas quand vous dites que vous n'avez jamais éprouvé de sentiments que par l'imagination. C'est un propos d'écrivain. Il fascine mais ce ne sont que des mots.

Attendez de vivre pour croire aux livres. Chacun d'eux est une expérience grandeur nature, mais seulement une expérience de l'écriture. Elle vous impressionne à juste titre; vous êtes encore jeune, vous ne savez la reconnaître pour ce qu'elle est : sans utilité pratique. A tout le moins, si vous les choisissez bien, vos lectures confirmeront-elles cette exaltation que vous ressentez d'être au monde, cette jubilation doublée d'angoisse qui est le propre de l'homme.

Au physique et sans doute par l'esprit, vous ressemblez à votre mère; je vous connais donc beaucoup plus que vous n'imaginez. Comme elle, vous aimez les choses de ce monde. Vous savez que nous n'avons pas de terre de rechange. Et vous n'en voudriez pas d'autre. Le fait simple, élémentaire, d'être là, devant l'arbre, l'oiseau, cette couleur du ciel vous étonne toujours, vous émeut. En même temps que l'inquiétude naît. Non pas tant de les perdre que de ne pas les connaître assez. Et c'est par des situations qui se répètent, par des sensations qui nous sont offertes à nouveau que nous prenons vraiment possession du monde.

Dans ce que j'ai à vous dire de Katia et de Jérôme, l'essentiel réside dès l'abord en ceci : les réponses à vos interrogations sont de peu d'usage; seules les questions sont importantes, celles que vous posez à propos de la réalité recréée par votre rêverie autour de votre mère, ce qu'on vous en a rapporté et ce dont vous vous souvenez.

Voici donc qu'il me revient de vous entretenir de Katia et de Jérôme. C'est une ambition curieuse, vous comprendrez pourquoi. Encore que ce sont certainement les deux êtres au monde que j'ai le plus aimés. Et je crois que même votre père sortira grandi, à vos yeux, de ce dénouement tragique. Depuis dix ans, les mauvaises langues ont dû aller bon train sous le prétexte de vous protéger de la médisance.

J'ai connu Katia au travers de mon ami. Insensiblement, j'en suis devenu amoureux. Sans jamais le dire. Le contraire m'aurait semblé une trahison et vous savez combien on dramatise, à quatorze ou quinze ans. Je ne suis pas certain d'avoir toujours compris Jérôme, même s'il se confia à moi, au long de ces années, comme à son double. Souvent, je me suis senti auprès de lui dans la position de l'écolier Seurel face au Grand Meaulnes. J'étais témoin, voire complice, mais d'une aventure qui m'échappait. Vous saisissez pourquoi j'en sais tant, et sur lui et sur votre mère. Pourquoi j'ai ramassé chaque parcelle de ce qu'ils m'abandonnaient de leur vie et des moindres instants partagés. A présent, leur absence à tous deux est pour moi exactement identique, définitive, malgré la mort de l'un, l'exil volontaire de l'autre. Selon le moment, ils sont pour moi tous deux pareillement présents ou également disparus.

Pourquoi ce silence vis-à-vis de vous, jusqu'à ce jour? Je me fais violence pour revenir sur ce passé. J'agis ainsi, Sophie, parce que vous m'êtes précieuse, que je me sens des devoirs à votre égard et aussi — dois-je l'avouer — parce que c'est un plaisir de me livrer à tout ce qui vous touche. Sachez que je vous ai observée de loin, depuis pratiquement votre naissance. J'ai suivi vos progrès, comme on dit, votre métamorphose, votre venue, un beau matin, en jeune fille éblouissante. Depuis le drame, je n'ai eu personne à qui parler de vous. Et j'ai guetté vos apparitions dans le quotidien de mes promenades, dans les réjouissances de notre ville. J'ai l'impression de bien vous comprendre. Je sens en vous une sorte de disposition à être heureuse, joyeuse même. Pourtant

une ombre semble vous retenir de laisser croître et
s'exalter votre bonheur d'exister. Une hésitation à
peine perceptible ralentit vos gestes les plus naturels
et je constate que, sous le soleil d'été, il passe parfois
sur votre front comme un frisson de l'hiver.

C'est cette ombre que je voudrais contribuer à
écarter. Elle est la trace d'un fantôme que vous
aimez, celui de votre mère, mais aussi d'un second
personnage invisible, celui de Jérôme qui se tient
derrière; tous deux étroitement liés à cette semaine
de vacances, cet hiver-là, à Sils-Maria.

Quand Jérôme découvrit l'existence de Katia, nous
étions en classe de quatrième. Nous fréquentions le
même lycée. Je l'avais vu arriver en sixième, venant
d'une autre école de la ville, alors que j'étais à Jules
Simon depuis le primaire. Apparemment, il n'avait
aucun ami. Je m'intéressai à lui dès la première
récréation. Très vite, il régna sur nos camarades
auxquels il s'imposait en distribuant des ordres d'une
façon si naturelle que nul ne paraissait s'en for-
maliser. Deux ans plus tard, quand Katia apparut
dans notre vie, nous étions devenus inséparables.

J'ai quelque responsabilité dans ce qui produisit
le déclic initial entre eux. C'était une fin de matinée
de printemps et nous revenions du lycée. Pourquoi
ce jour-là lui avais-je parlé d'une fille, Katia, que je
connaissais de vue, que je trouvais jolie mais sans
m'y intéresser davantage ? Le hasard fit qu'elle nous
dépassa à bicyclette juste à cet instant. Ce fut vrai-

ment une question de circonstances. Mais pour comprendre ce qui suivit, il faut commencer par là. Il serait abusif de parler de coup de foudre. Jérôme (et j'ai suffisamment vécu maintenant pour savoir qu'il a raison) n'a jamais cru à ces déflagrations du sentiment. Ce qui fixa sur Katia la soif d'amour qui le tenait – besoin d'aimer bien plus encore que d'être aimé – dépendit d'un choix délibéré. Aujourd'hui que j'ai lu Stendhal, je dirais qu'il y avait chez Jérôme quelque chose de ses héros qui déterminent froidement qui ils vont aimer, à quelle heure, en quel lieu ils manifesteront leur sentiment et s'y préparent comme pour une bataille. Ce qui n'empêche pas que, le cœur une fois pris, la passion les malmène; mais du moins ont-ils la consolation de l'avoir voulu!

Je m'aperçus peu après que j'habitais à l'autre bout de la longue avenue qui longeait la maison de Katia, c'est pourquoi je l'avais souvent croisée à bicyclette sur le chemin de l'école. Certes, je l'avais trouvée agréable, mais à cette époque j'avais le cœur pris : Laure, petite brune sportive, fille de notre professeur de musique – une femme à la voix pointue –, me faisait soupirer. C'est pourquoi je désignai Katia à Jérôme dès qu'elle surgit, pédalant de manière appliquée sur son engin, à notre hauteur. Il allait à pied près de moi qui chevauchais mon vélo comme une draisienne. Il ne vit rien que la silhouette d'une fille blonde aux cheveux mi-longs. Elle portait, c'était la mode, des bas de laine ou de coton rouges. Quelques minutes plus tard, alors que j'étais chez le marchand de journaux et qu'il attendait au-dehors, elle passa de nouveau devant lui. Nous avions pris la rue Richemont, qui est en sens interdit. Elle avait dû sur sa machine faire le tour par la place de la République. Cette fois il aperçut son visage. Des yeux bruns, une bouche un peu trop large, un nez au modelé doux. Elle ressemblait, déclara-t-il, à Annette Stroyberg que notre âge nous interdisait d'aller voir au cinéma Le Royal dans Les Liaisons dangereuses. Dès que je l'eus rejoint, sur le trottoir où il s'impatientait, il me supplia de me lancer à sa poursuite pour découvrir où elle habitait. Le temps de promettre de faire mon possible, elle avait disparu.

Jérôme était amoureux. De cette double rencontre à quelques minutes d'intervalles il déduisait un signe du destin. Voici que l'aborder, l'approcher devint son but ultime dans ces journées creuses et exaspérantes qui annoncent l'été.

Cette facilité de se donner, au travers d'un événement extérieur, une obligation à suivre est la marque des tempéraments timides. Ils feignent d'y voir une preuve de la volonté dont ils seraient capables. Ils attendent en fait que l'occasion, le hasard décident pour eux.

Est-ce un signe de lâcheté? En tout cas, Jérôme n'était pas dupe de son propre comportement. Avant cette date, il s'était déjà livré au moins une fois à la force inopinée des circonstances. Il a sûrement raconté à Katia l'épisode de la galette des rois. Il aimait à y revenir. Il n'y manqua pas, de nouveau, à notre dernière rencontre. Cette évocation le détourna un instant de sa tristesse d'alors; dans le drame qu'il vivait, le bonheur de se rappeler une scène tendre lui était un repos. Sans doute était-il ému aussi de ce retour à l'enfance qui éveillait chez lui la nostalgie d'une simplicité perdue. Je ne sais de cette histoire que ce qu'il m'en retraça, avec de nouveaux détails à chaque fois. Je vais tenter de vous la rapporter aussi fidèlement que possible. Elle éclaire le caractère de Jérôme. Pour vous la faire revivre, je n'ai que des mots. Il faudrait ajouter la voix de mon ami, cette perceptible hésitation qu'il avait pour trouver le terme juste, le ton approprié, et qui participait à l'émotion. Le soir venait, un soir d'hiver presque en milieu d'après-midi. Je revois le visage grave et serein, j'entends cette voix dans la pénombre. Cette aventure m'avait été déjà décrite, pourtant il en était comme de ces paysages que nous croyons trop bien connaître pour qu'ils nous impressionnent à nouveau : de les revoir, comme d'écouter Jérôme, tout m'était rendu.

J'avais douze ans, dit Jérôme; une fois de plus j'avais passé le jeudi chez un camarade, Vianney, qui habitait une grande maison entourée d'un jardin empli de cerisiers. Il y avait avec nous, ce jour-là : un autre garçon de notre classe, Malte, Léa, la fille de la maison – une véritable chipie à cette époque, toujours à agacer les garçons et qui devait, hélas, mourir de leucémie l'année même de ses vingt ans – et Nathalie, une amie à elle; enfin les deux petits frères de Vianney. Comme d'habitude, nous nous sommes retrouvés autour de la grande table à cinq heures; on apporta le thé. Une galette l'accompagnait et deux couronnes en papier. Les plus jeunes s'en emparèrent. Léa les leur reprit prestement. Déjà je me maudissais de n'avoir pas prévu qu'on fêterait l'Épiphanie. Le gâteau dissimulé sous une serviette, chacun des petits, à son tour, désignait les bénéficiaires des parts. Nathalie fut servie la première. Je l'ai trouvée belle tout à coup alors que jusque-là je n'avais vu qu'un visage banal sous de forts sourcils bruns. A cet instant, le demi-jour l'enrichissait de mystère, rehaussait l'éclat de ses joues et de ses yeux, profonds et noirs. Je reçus, le dernier, ce qui restait de la galette. Tous, à l'exception de Nathalie, dévoraient déjà leur gâteau. Je portai la galette à ma bouche, aussitôt imité par Nathalie qui me faisait face. On eût dit qu'elle calquait son attitude sur la mienne comme si, de son agilité à m'imiter, dépendait son sort. Le gâteau s'émietta sur mes lèvres mais à peine l'avais-je croqué que je perçus les contours d'un petit objet oblong. De la langue, je vérifiai ma découverte. Pas d'hésitation possible, c'était bien la fève. Je m'efforçai de ne rien manifester. Mais tout le monde avait terminé et il devenait aveuglant que le petit baigneur en ses langes que chacun guettait était dans le seul morceau qui me restait. Je finis ma part, tous les regards fixés sur moi. Le dénouement était proche. Soudain les parents de Vianney vinrent se joindre à nous, amusés. Ce fut le coup de grâce. Je ressentis une véritable panique.

Je ne pouvais plus résister. J'ai attrapé la fève de deux doigts et je l'ai déposée doucement sur la petite assiette. En même temps, je me suis senti plongé dans un bain brûlant. Les rires se mirent à fuser de tous côtés, les cris des enfants mêlés aux compliments faussement cérémonieux des plus grands. Les « Vive le roi » qui se succédaient en rafales m'emplissaient d'un malaise général dont nul ne semblait se rendre compte. A cet instant, parachevant mon infortune, une voix lança ce que depuis le début je redoutais et qui était sûrement à l'origine de cette confusion : « Il faut choisir une reine! », proposition que reprit en chœur l'assistance.

Je fus seul, avec Nathalie, à rester silencieux. Je n'en pouvais plus de sentir les rougeurs qui me dévoraient les joues, le cou. Une chaleur intense me rendait douloureuses les oreilles. Nathalie ne bougeait pas, un peu effrayée de la dimension que prenait le jeu. Et moi, sur cette chaise dure, le corps trop droit contre le dossier, incapable de prononcer un mot, étourdi par le bruit et les exhortations, j'aurais voulu voir s'ouvrir la terre.

On choisit pour moi. Nathalie était l'invitée et Léa trop contente de se moquer de moi. Tous se mirent à scander : « Nathalie! Nathalie! C'est Nathalie la reine! » Ils n'y mettaient pas de malice. Malgré le tumulte de mes esprits, je notai toutes les marques de ma confusion qui, alliée à celle de Nathalie – maintenant manifeste – paraissait trahir une connivence.

J'imaginai son égarement, elle observait le mien. Nous offrions le spectacle d'une émotion sans aucune mesure avec ce qui l'avait causée. De partout et avec d'autant plus d'intensité que nous y mettions visiblement peu d'enthousiasme, on nous pressait de nous donner le gage de notre complicité éphémère : un baiser. Nathalie gardait les yeux baissés et, le feu toujours au visage, je persistai à l'ignorer. Enfin – cela me parut des siècles – dans l'ignorance de ce que le petit jeu pouvait avoir involontairement révélé et pour ne pas abuser d'une plaisanterie, les parents se décidèrent à tempérer l'ardeur des plus jeunes, forts de cette cruauté qui s'allie souvent à la candeur.

Chacun se contenta alors de lancer le cri traditionnel chaque fois que Nathalie ou moi levions notre tasse de thé, « le roi boit!... » ou « la reine boit! » Cette nouvelle forme du jeu, plus supportable, me rendit le calme. Plus l'émotion a été intense, plus le soulagement, une fois sa cause écartée, est rapide. Je fis semblant d'avoir oublié les minutes qui avaient précédé. Les deux petits s'étaient placé les couronnes dorées sur la tête et l'on passa à d'autres activités. Mais à plusieurs reprises en cette fin d'après-midi, je surpris le regard de Nathalie posé sur moi.

A la suite de cet impromptu, malgré les invites de Vianney, Jérôme ne vint plus aux petites réceptions du jeudi. La pensée de devoir affronter les regards et les sourires des présents à cet affreux goûter tint en balance son vif désir de reprendre le chemin de la grande maison des Lesaux. Il aimait la solitude à condition de se l'être choisie. Il céda au bout d'un trimestre.

Dans le choix forcé de cet après-midi de janvier, il voyait la main de la providence. Une prémonition assurant non pas qu'il devait aimer Nathalie (à cela, il aurait su se déterminer seul), mais qu'il serait agréé par elle. Curieusement il s'en tint là, lui qui vivait depuis toujours des passions perpétuelles et successives − à sept ans, il était tombé amoureux d'une jeune comédienne qui jouait un second rôle dans *Marlborough s'en va-t'en guerre*, piécette vue à la foire-exposition de Vannes, et avait rêvé pendant des mois de ce visage blanc sous les anglaises sombres de la coiffure, de cette poitrine mise en valeur par le corset et la dentelle... Dans l'acquiescement à venir de Nathalie, il trouvait une quiétude qui lui procurait vis-à-vis de la jeune fille une sorte de détachement. Il se découvrait une liberté de comportement inconnue. Comme si, certain d'être accueilli dans la place, il ne voyait plus la nécessité de s'y rendre. Il savourait le succès promis sans avoir eu vraiment à en vivre l'espérance. Cette apparence de facilité lui pesait à l'égal d'un cadeau qu'il n'aurait pas eu le temps de désirer. Enfin pour tout avouer, à chaque rencontre nouvelle, Nathalie lui paraissait de moins en moins attirante. C'est du moins ce qu'il m'affirma. Peut-être feignait-il de mépriser ce qu'il était en peine d'obtenir. Cette attitude préfigure assez ce que serait au long de sa vie la déception qui suivrait, à chaque fois, la concrétisation de ses désirs. Le résultat n'est jamais au niveau de l'attente et le temps de l'espoir, qui suffit au rêve, se révèle finalement beaucoup plus important que la réalité.

Pour en revenir à sa première rencontre avec Katia, il aimait à en rappeler deux détails : elle portait ce jour-là d'épais bas rouges, et un pull de couleur claire lui moulait la poitrine. Quand il se réveillait la nuit, lui apparaissaient dans l'obscurité les formes onduleuses de la jeune fille. Il ne se lassait pas de les imaginer. Les seins le subjuguaient plus que toute autre partie de l'anatomie féminine. Le

début de l'été constituait à cet effet une saison pri-
vilégiée. Le peu de vêtements des promeneuses, la
légèreté de ce qui les couvrait, leurs attitudes alan-
guies sur les pelouses des jardins publics, les plages,
incitaient à de longues contemplations colorées par
une sensualité qui, pour demeurer velléitaire, était
d'autant plus débridée et inventive. L'exiguïté d'une
mousse de tricot au bas du ventre, dissimulant à
peine le renflement du pubis, les cimes tendues de
la poitrine que les maillots humides dotaient d'une
précision sculpturale, lui offraient des heures de bonheur sans mélange. Il s'enchantait de surprendre
sortant de l'eau la jeune baigneuse et son halètement
léger dû aux efforts de la nage. Il avait cru longtemps
que dans les livres il y avait tout. Il savait désormais
que dans la lumière qui joue sur le ventre d'une
fille qui marche, dans les mouvements saccadés de
la chair et son volume doux, il y avait beaucoup. Il
venait souvent flâner sur la digue protégeant le port.
Des jeunes filles, par groupes, prenaient le soleil et
bavardaient.

Leurs rires, parce qu'on ne les partageait pas,
possédaient un caractère illicite. A les entendre parler bas ou s'esclaffer, parfois crier de l'une à l'autre,
il avait la certitude de capturer un éclat durable de
cette substance mystérieuse et fascinante dont est
faite toute personne de l'autre sexe – pourvu qu'elle
ne soit vieille ni laide – aux yeux d'un jeune garçon
solitaire.

Il passait des journées entières à les observer. Elles
finissaient par prêter amusement à sa présence silen-
cieuse et n'en montraient que plus d'exubérance –

l'une serait-elle venue lui parler qu'il aurait fui de panique. Il était persuadé que, dans ces heures apparemment vides, il remplissait sa vie savamment et qu'il connaissait (engrangeait peut-être) le meilleur de ce que réserve l'existence.

La pluie ne suffisait pas à le dissuader de venir rôder sur la digue. Si les passants étaient plus rares, il lui arrivait pourtant d'y croiser quelques filles de son âge. Elles lui jetaient un coup d'œil au passage, il y voyait une invite. L'absence de foule rendait le lieu propice à l'intimité et tout devenait possible, ce tout tellement rempli d'espoirs quand rien de précis ne s'y attache.

Il avait suivi un après-midi durant une brune et une blonde enlacées qui s'en amusèrent, riant de son manège sans qu'il se décourageât. La blonde surtout l'attirait. Quand elle se retournait, une avalanche de cheveux lui tombait sur les yeux. Il remarqua le lobe de ses oreilles tendrement renflé et ses joues aux pommettes rougies. De loin, le visage ressemblait à un remous de chairs roses.

Elles allaient joyeuses, d'un pas égal, comme indifférentes à sa présence, derrière. Elles poursuivaient à force d'exclamations et de soupirs une conversation vagabonde qui parfois s'arrêtait net sur un silence, comme si la confidence faite les effrayait brusquement. Puis elles reprenaient leur marche et leurs propos, au long du chemin douanier bordant la côte, sous les pins, au travers des roches qui affleurent, plus nombreuses à mesure qu'on approche du phare.

A certains moments, le vent balayait les jupes

qu'elles retenaient, les deux mains au creux des cuisses. Il ouvrait les cols, dégageait du front le rideau des cheveux. Jérôme saisissait mieux alors la rondeur des chairs, le feu du sang sous la peau, les muscles potelés et rosis. Il écoutait leur rire laiteux de jeunes servantes émoustillées à la présence de messieurs. Il se tenait là en retrait, disputant à la brise une cigarette à demi consumée. Fumer n'était pour lui qu'un moyen d'acquérir une contenance.

La chair semblait plus douce au-dessus du genou. Parfois une jambe entière se découvrait, un éclair de peau lisse et nue. Cela lui suffirait pour entretenir, interminable, une rêverie de voluptés.

Elles étaient maintenant à l'extrémité du môle couvert de mousses et de fucus, avec cette couleur de la mer les jours de grand mouvement. Le temps s'éclaircirait en quelques heures. L'horizon se teindrait au couchant d'une immense tache pourpre, un reflet de lumière blessée. D'où il se tenait, des bribes de sons lui parvenaient. Il ne savait si elles plaisantaient ou se disputaient quand une fièvre s'emparait d'elles et qu'elles se bousculaient dans des gestes confus.

Fatiguées du spectacle de la mer ou de ce long entretien, elles revinrent sur leurs pas. Il s'était adossé au parapet. L'étroitesse de la cale les obligea à le frôler au passage. Il n'attendait que cela.

Il y eut une soudaine moiteur de l'air au moment où elles lui coupèrent le vent. Elles étaient odorantes de nature comme souvent les très jeunes filles, fleurant la paille et le lait. A sa hauteur,

elles le regardèrent en coin, celle qui se trouvait
le plus proche réprimant avec peine un fou rire.
L'ourlet d'une robe d'été l'effleura. Un pouffement
étouffé. L'air traduisit la présence immédiate d'un
corps tiède. Une fraction de seconde lui avait suffi
pour tout retenir. Il ferma les yeux. Il ne les revit
jamais.

Des mois s'écoulèrent. Il s'était contenté de se trouver sur le chemin de l'école au bon moment pour y croiser Katia. Le seul fait de la regarder d'un air extatique lui avait semblé suffisamment « parlant » pour qu'elle comprît ses sentiments. Il est vrai que pendant tout ce temps où il ne se passait à la lettre « rien », il échafaudait mille canevas de rencontres, d'aveux, d'échanges inédits. Il se disait à haute voix : « Je vais lui parler. » Parfois il ajoutait : « Demain. » Et cela déjà apprivoisait l'espoir; c'était bon de le dire.

Jusqu'à cet après-midi de juillet dans le jardin des Launay. Henri-Jean et Paul partageaient ses jeux au lycée. Le premier était dans la classe de Jérôme. Chez eux, celui-ci était peu ou prou considéré comme de la famille, une sorte d'enfant intermittent. Il fréquentait assidûment la demeure qui donnait sur une rue paisible du quartier de Trussac. Il en aimait plus que tout la longue terrasse de granite qui fumait au soleil après la pluie et qui dominait un massif de fleurs en pots si serrés qu'on croyait la végétation en pleine terre. Ceux-ci permettaient pendant l'hiver de protéger les plants fragiles dans une serre que l'arrière de la maison dissimulait. Jérôme goûtait ici les longues journées d'une enfance recueillie et ses manèges énigmatiques. Il s'y tenait fiévreusement quand Delphine, la sœur des garçons, invitait ses amies pour le thé. Il restait longtemps immobile, appuyé à la rambarde de pierre dans une position qui exigeait pour conserver l'équilibre une torsion des reins douloureuse. Il ne détestait pas de s'offrir à bon compte un trait de stoïcisme en demandant à son corps ce que personne ne souffrirait si long-temps, croyait-il, et plus sûrement n'aurait l'idée d'exiger. S'arc-boutant au-dessus du vide, de la pointe du coude il faisait avancer avec difficulté jusqu'à l'extrême bord du muret les graines sombres et fortement odorantes qu'on y trouvait dès le début de l'été. Elles tombaient des gousses noirâtres des orchidées.

Il s'écorchait la peau sur l'os du coude à force de frotter la pierre râpeuse, mais il déplaçait ainsi par ce moyen absurde, adopté par une sorte de choix superstitieux, les graines dont il userait comme pro-jectile pour l'ultime phase du jeu.

Je ne connais pas le jardin des Launay mais je crois savoir que les orchidées ne donnent naissance qu'à des graines de la taille d'un grain de sable. Pourtant Jérôme m'a juré bien des fois ne s'être pas trompé. Il se flattait d'avoir vécu près de fleurs uniques, une espèce d'orchidée de nature aberrante possédant l'équivalent de véritables pépins.

Il y avait, unissant toutes les journées de cet été-là, le parfum chaud et poivré des graines écrasées qui laissaient aux doigts une odeur persistante que Jérôme aimait ensuite rechercher, à tout moment de la journée, humant la pulpe de ses phalanges, les ongles contre les narines. Il s'acharnait à faire tomber une pluie de graines sur les marches menant au jardin, en contrebas, chaque fois que s'y trouvaient assises Delphine et ses amies – parfois Katia. Sous le coup, elles se dressaient en caquetant, manifestant contre lui, très haut, comme indifférent, une humeur sans feinte. Puis elles affectaient d'ignorer sa présence et se contentaient de s'ébrouer pour faire tomber de leurs cheveux les pépins noirs; parfois troublées quand, parmi les projectiles malicieusement lancés dans les corsages, l'un s'était introduit si profond dans un décolleté qu'elles ne pouvaient le chasser en public. Malgré les contorsions, il résistait à la pesanteur, refusant de quitter le sillon des seins adolescents ou la ceinture qui le retenait au creux des reins. Là, elles auraient à le garder longtemps encore et à chacun de leurs mouvements, piquetant la peau, il tracerait une marque rouge, un faible creux sur la chair la plus douce.

Quand il en parla à Katia l'année du drame, elle en fut si émue qu'elle crut retrouver, au bas du nombril, la sensation perdue du picotement de la petite graine, lancée quinze ans plus tôt sous sa chemise.

Quand il constatait qu'il avait atteint son but,
Jérôme imaginait avec délice les mille positions possibles du grain déjà chaud au contact de la peau. Il
se réjouissait de le supposer contre la pointe d'un
sein (une éventualité qui prenait une intensité nouvelle appliquée à Soisig, la plus épanouie des jeunes
filles rassemblées dans le jardin), coincé entre la
chair granuleuse de l'aréole et le bonnet de dentelle
du soutien-gorge, contrefaisant lui-même un relief
de la peau, doublant le volume du tétin d'un jumeau
plus petit mais plus ferme et érigé que le premier.
Il ne connaissait du tétin que l'image qu'en donnaient les peintres à motifs pour des *Diane au bain*
ou des *Nymphes effarouchées*. Il ne concevait le corps
d'une femme qu'en l'état où il lui avait été donné
de l'apercevoir, entre deux chemises, quand il faisait
irruption sur un motif futile dans la chambre des
jeunes femmes de la famille venues passer un week-
end au bord de la mer. Les visions ainsi dérobées
restaient bien anodines. Elles manquaient de précision. Il devait se sustenter de quelques courbes
vagues, de rondeurs tremblantes.

Après une journée passée dans le jardin des Launay, il recréait avec beaucoup de bonheur la trajec-
toire voluptueuse de ses projectiles. L'une des graines
(il la voyait parvenue en bas, tout en bas des sphères
molles et lisses, cachée sous la rotondité des mammes)
jouait au grain de beauté mutin. Une autre reposait
douillettement entre les deux globes — là même où
il aurait tant souhaité reposer la tête, faire courir
les doigts — soutenue par eux et se mouvant à leur
exemple, balancée à chaque déplacement, noyée en

cet océan de roseurs. Une dernière, plus téméraire, avait glissé le long de la jeune surface élastique puis était parvenue loin, quelque part dans l'immensité renflée du ventre. Le pépin noir était-il niché dans la corolle du nombril, à l'abri de la robe légère, ou s'était-il perdu en des plis et replis extravagants ? En tout cas − pour Jérôme qui l'observait à la dérobée − il ajoutait à Soisig, toujours vêtue de tissus chamarrés, un attrait farouche. Une envie brutale de l'emporter, de se précipiter sous elle, de saccager des dents l'étoffe jusqu'à la chair nue, longuement espérée. C'était d'abord Soisig qu'il visait, et sur elle il n'hésitait pas à pronostiquer avec une précision impudente la course audacieuse de ses messagers, semés sur le parterre des jeunes corps offerts au soleil.

Il espérait qu'une des graines, après avoir vaincu la frontière de la ceinture (cette année-là, si la mode prônait les étoffes envolées au moindre souffle, elle exigeait une taille bien prise), mît à profit le relâchement de l'élastique de la culotte blanche pour accéder au profond du pubis renflé, dans les premières pousses du buisson brun et fauve où, plus creux encore, elle pénétrerait, patelinement aspirée dans les replis infinis que l'adolescent savait là, tout en ignorant leur exacte géographie.

Il était à cette saison de la vie où, par la grâce de l'inexpérience, tout ce qui s'achève n'est encore qu'un commencement.

Par les jeudis après-midi de grande chaleur, immobiles comme des poupées, les jeunes filles paraissaient pourtant répandre des promesses, grandes et petites, dans les ombres de leurs robes claires. Plus que de coutume, elles avaient les dents brillantes, les lèvres humides – pour quels embrasements, quels embrasements? Les plus pataudes retrouvaient des gestes de princesse, le dos de la main prestement élevé devant la bouche pour, avec nonchalance, dissimuler un bâillement ou un rire. Toutes filles de commerçants de la ville, de fonctionnaires des douanes ou des PTT, d'officiers prolifiques, de trésoriers-payeurs, de médecins et notaires, tenues en serre depuis l'entrée en sixième dans une institution religieuse et qu'une éducation à l'ancienne et le frottement au creux des dortoirs contre quelques spécimens de l'aristocratie terrienne avaient dotées d'un vernis qui ravissait les parents. Il fallait peu, cependant, pour que reparût la nature. Les dignités de façade se craquelaient sous d'enfantines jalousies pour des toilettes neuves ou le sourire niais d'un garçon venu attendre une sœur cadette à la porte de l'internat.

Katia ne fréquentait pas régulièrement la terrasse aux fleurs mauves cernée par de grands magnolias qui distillaient leurs parfums insidieux. Mais elle y vint à plusieurs reprises cet été-là. Elle avait assimilé les us et coutumes de la maison, le thé ou l'orangeade de cinq heures, la grand-mère prenant le frais sous un arbre, tirant toutes les minutes la laine de son tricot de ce même geste ample que l'on a pour plumer un poulet – opération dont elle avait été plus d'une fois témoin dans la cour de la maison familiale et qui, toujours exactement répétée sur les volailles au bec dégouttant de sang, avait pour elle quelque chose de liturgique.

Elle n'avait pas tout à fait pris son parti de la présence constante de ce garçon taciturne dont la fouillait le regard. Pourquoi, se disait-elle, un tel soin à afficher une indifférence feinte ? Elle surprenait ces yeux pâles (de près on les remarquait, ils étaient d'un bleu-vert mêlé de jaune à l'entour de la pupille) posés sur son visage ou sa gorge neuve. Au même instant naissaient en elle un sourd contentement et un vague malaise : l'impression que laisse un compliment d'abord perçu pour agréable et dont l'outrance brusquement vous apparaît.

Sans doute aurait-elle souhaité le voir exprimer plus clairement l'intérêt qu'il semblait ressentir à son égard. Les rencontres dans la rue, au cours de promenades, ne manquaient pas. Le lieu, les circonstances s'étaient parfois prêtés à un échange plus personnel que le « bonjour-bonsoir » austère dont, presque avec effort, il lui avait fait grâce. Mais leurs relations semblaient devoir en rester là. Cependant, un événement allait infléchir le cours de leur indécise fréquentation.

L'occasion en fut donnée au mois de juin par la fête des écoles. J'en étais aussi. Tout commençait place de la mairie où nous nous retrouvions à près de deux mille, vêtus de blanc et de bleu. La foule des écoliers débordait sur les chaussées alentour. Nous avions à interpréter, immobiles au soleil, divers chants de marche. Puis, en longue procession, nous parcourions la ville, scandant des refrains pleins de mots désuets et d'enthousiasmes convenus. Par la rue Thiers qui descendait vers le stade, tout le monde se rassemblait sur la pelouse rase du parc des sports qui avait bien de la peine à contenir les rangs serrés de la jeunesse de la ville. Plus justement, la moitié de cette jeunesse, l'autre fréquentant les écoles religieuses, nombreuses, dont le jour de gloire précédait de deux ou trois dimanches la célébration laïque de la fin du printemps.

Jérôme, tout enfant, avait connu lors de cette fête une des plus belles paniques de sa vie : comment au moment de la dislocation retrouver ses parents au milieu du flot innombrable ? Il était resté longtemps, longtemps, les yeux brouillés par les larmes, réfugié sur la forte pente de la piste cyclable au ciment rose maculé de traînées noires comme si de la peinture échappée d'un récipient avait coulé jusqu'à la cendrée, qui s'avouaient de près n'être que les réparations minutieuses des fendillements du béton. Malgré le rendez-vous donné « au coin gauche des tribunes », tournant sur lui-même, bousculé par des camarades courant rejoindre leur famille, il n'était pas parvenu à repérer les visages espérés. Au bout d'un temps interminable, une voix s'était fait entendre, tout près, et deux bras vinrent, par-dessus la barrière, qui le happèrent, l'emportèrent, le sauvant enfin.

Aujourd'hui, en cette fête, il n'a qu'une idée en tête : aborder Katia et lui parler enfin. Retrouver ses parents est son dernier souci. Cette décision de prendre sérieusement l'initiative date de la veille. Avec quelle joie, au moment de la répétition des mouvements d'ensemble, dits « du Lendit », auxquels les écoliers étaient voués, il vit Katia s'approcher de lui à pas légers! Avec un petit signe de tête amical,

elle s'est assise, juste au coin opposé de son quadri-
latère, à l'intersection des lignes blanches qui déli-
mitent un carré d'environ trois mètres de côté où
chacun se tient. Toute à l'exercice demandé, elle
s'applique, attentive. Il la regarde avec dévotion,
sceptique devant une telle chance, s'émerveillant
du spectacle de la jeune fille dans le plein soleil
qui cercle d'or ses cheveux retenus en arrière par
une barrette, dégageant les tempes, procurant au
visage une luminosité nouvelle. En même temps,
il reconnaît l'odeur de l'été sur les filles, ce parfum
d'humus, cette transpiration légère dans des vêtements frais repassés. Depuis qu'elle l'a salué, rien
dans l'attitude de Katia ne montre qu'elle le dis-
tingue de la foule des lycéens. La musique d'ac-
compagnement se fait entendre. Il accomplit, s'ac-
cordant avec elle, les mouvements qu'ils devront
le lendemain exécuter en tenue d'apparat (il se
réjouit d'avoir aujourd'hui étrenné une chemise de
polo rouge rayée de blanc et un short immaculé).
Chaque fois qu'il se trouve tourné vers elle, il
s'extasie sur sa grâce naturelle. Quand elle lui
tourne le dos et avance, en rythme, de la distance
exacte dont il se rapproche, elle semble, alerte, le
fuir à mesure qu'il peut l'atteindre. Quand il doit
la précéder, il croit sentir sur ses épaules le poids
de son regard et redoute de se tromper ou de lui
paraître lourd et disgracieux.

Ils gambadent ainsi sur leur carré de pelouse une
demi-heure qui lui paraît infinie. La répétition ter-
minée, je le vois bondir hors du vestiaire pour
attendre Katia à la sortie du stade. Cette fois il va

lui parler, il veut tout lui dire. Elle s'approche, insouciante, son sac de sport tressautant sur son épaule. Elle est à quelques mètres de lui quand un groupe de ses camarades arrivent en courant, la rejoignent, la prennent par le bras. Il se contente, une fois de plus, de la regarder passer.

Il aime ses yeux en amande, son nez court, son teint mat, les bandeaux de cheveux tirés sur le haut du crâne qui lui allongent heureusement le visage. Il aime tout d'elle. Il sait qu'elle a remarqué hier son manège, cette insistance à l'observer, ce guet à la sortie du stade. Il se maudit de s'être découvert incapable de lui adresser un sourire, comme à quiconque d'ailleurs, habitué depuis l'enfance à vivre dans le silence des émotions. Il lui arrive, sachant sa maladresse à exprimer tout sentiment en public, serait-ce par un simple geste, de préférer s'abstenir, acceptant de passer pour un cœur sec ou pour un rustre, ce qui est un comble, lui qui est l'intelligence et la subtilité mêmes. Mais il craint par-dessus tout de s'avouer pour ce qu'il est : si sensible et vulnérable. Sur son carré de craie, Katia, de blanc vêtue, des rubans rouges et bleus aux poignets, se déplace avec une radieuse élégance. A intervalles réguliers, en appui sur les mains, elle tend vers lui le galbe parfait de ses jambes. La jupette plissée remonte parfois jusque sur son dos. Il avise pour s'en repaître la blondeur et le satiné de la peau, s'attardant sur la culotte de gymnastique qui laisse deviner le slip blanc et qui, cernant le haut des cuisses, juste sous la pomme rebondie des fesses, fronce irrégulièrement sur l'élastique.

A la même seconde, insouciants, plusieurs centaines de garçons et filles sautillent avec eux sur les
intersections des lignes blanches comme les pierres
devenues fébriles d'un immense jeu de go. Rendu à
la liberté, il s'empresse de rejoindre Katia à l'endroit
où il l'a vue se glisser dans la foule. Il marche à sa
suite dans l'allée ceinturant le stade, derrière les
spectateurs agglutinés sur plusieurs rangs contre la
rambarde. Là, tournant et retournant en esprit les
mots d'approche qu'il travaille depuis tant de jours
sans en être satisfait, il n'arrive pas à se jeter à
l'eau.

Un quart d'heure d'affilée, il parcourt le périmètre
du parc. Elle s'arrête à intervalles réguliers pour
jeter un regard sur la foule depuis la balustrade,
comme si elle cherchait quelqu'un, ne manquant
pas en sus de le situer exactement. A un moment,
elle recule tel un chien d'un terrier, contre lui effrayé
qui s'empresse de s'effacer. Trois fois elle fait demi-
tour, le contraignant à trahir son manège. Il attend
qu'elle le croise. Elle a, en regardant ailleurs, un
petit sourire de connivence, comme si le hasard seul
s'obstinait à les mettre ainsi en présence. Alors, il
doit revenir sur ses pas. A vingt reprises il a l'occasion de l'interpeller à l'abri de la masse des spectateurs qui leur tournent le dos. L'attitude de Katia
reste résolument aimable, sans trace d'agacement ni
invite particulière. Et c'est ceci peut-être que contre
toute logique il attend ou veut se persuader d'attendre, reportant d'instant en instant la phrase qui
arrêtera la jeune fille, enfin saisissable, consentante.

Surgit un obstacle auquel il ne songeait plus : elle

a retrouvé ses parents, sa famille et s'installe près d'eux, à l'abri.

En dépit de tout espoir il attend une demi-heure encore, pour le cas tout à fait improbable où elle se retrouverait seule un instant. Puis, à la fois triste et soulagé, il se met en quête de ses propres parents.

A la fin de l'après-midi, quand la foule commença de quitter le stade, il rentra aux côtés de ses sœurs qui se bousculaient joyeusement. Une immense déception faisait luire ses yeux qui devenaient de plus en plus pâles, de plus en plus humides, et l'on eût dit deux grosses billes d'agate, deux simples calots de verre.

Il y a loin entre l'adolescent timide que je vous décris et l'homme d'affaires qu'il était devenu quand il revit votre mère cet hiver-là, il y a dix ans. En une semaine tout allait se jouer. Et se dénouer d'une façon bien inattendue.

La scène eut pour décor un des plus beaux paysages du monde, au cœur de l'Engadine : Katia, en effet, s'était décidée à vous emmener en vacances à la neige. A la mi-décembre, elle avait ressenti soudain le besoin de changer de décor. L'hiver était là, de force, sur le calendrier, et le ciel serein et doux de l'Atlantique contrastait par trop de mollesse avec les aspérités de ses pensées en désordre. Elle souhaitait inconsciemment plus de rigueur, plus de tranchant dans cette saison qui se cherchait. Le système de vacances proposé lui ôtait tout souci d'organisation et assurait à l'enfant que vous étiez des camarades de jeu, ce à quoi elle tenait beaucoup, par volonté de vous rendre d'une parfaite sociabilité – et le résultat est là. Je vous vois vivre, Sophie; je peux assurément en témoigner.

Votre arrivée au village de Sils-Maria, près de Saint-Moritz, vous mit en joie : la contrée accumulait si parfaitement les poncifs du paysage des cartes postales de montagne au cœur de l'hiver qu'on l'eût dit bâtie de toutes pièces par un syndicat d'initiative trop scrupuleux.

Le repos devait être de courte durée. Le soir même, alors que Katia était installée dans un fauteuil du grand salon de votre hôtel rococo, se produisit l'événement. L'enfant que vous étiez s'était déjà fait des amis et vous jouiez à courir et vous poursuivre dans l'entrelacs des fauteuils. Plusieurs fois déjà votre mère vous avait demandé de montrer moins d'exubérance, mais en vain. En vous précipitant vers elle, vous vous êtes jetée dans les jambes d'un homme qui s'avançait à grands pas au travers du salon. Il vous rattrapa adroitement d'une main avant que vous ne perdiez l'équilibre. A peine remise d'aplomb, vous êtes repartie de plus belle. Souriant, l'homme vous observa. De là, naturellement, son regard se posa sur la femme qui vous accueillait. Katia, par pur réflexe, leva les yeux sur l'homme qui s'était arrêté. Il fallut encore quelques secondes, puis :

— Katia !

— Jérôme !

Qui le premier avait reconnu et nommé l'autre, cela est impossible à dire. A coup sûr, la surprise a été réciproque, tant la rencontre était non seulement inattendue — ce qui est le propre de la plupart des événements — mais aussi des plus improbables. Dans l'esprit de Katia, si jamais elle avait songé à Jérôme (mais combien de fois en quinze ans avait-elle vraiment pensé à lui?) des retrouvailles étaient exclues, ne serait-ce qu'à cause de l'éloignement géographique. Elle le savait installé à Fukuoka, au Japon, où il faisait commerce de produits chimiques français pour le traitement et la protection des cultures.

Katia demeura interdite. Cette présence, avec ce qu'elle restituait brusquement d'un passé englouti, ouvrait devant elle une sorte de gouffre. Elle savait confusément que rien n'était joué, qu'elle possédait pour quelques secondes encore la possibilité de se protéger, de refuser ce que le hasard, en secret, avait tenté d'établir. Aurait-il suffi qu'elle saluât Jérôme d'une banale phrase de politesse, aussi froide, aussi distante que le permettait la situation, pour rétablir dans son insignifiance la coïncidence? Il est vrai que la plupart des gens – même ceux qui furent proches jadis – sacrifient en dix minutes de bavardage inconsistant les retrouvailles d'un inconnu autrefois familier.

Ainsi est-ce la sagesse qui l'emporte : on sait trop qu'on n'aurait plus rien à se dire et mieux vaut, à tout prendre, une occasion manquée que la destruction du souvenir.

Mais le double cri de stupéfaction qu'ils poussèrent, à cet instant où le cœur supplée l'hésitation de la mémoire, avait un sens trop clair. Il était difficile de l'ignorer. Katia cependant se ressaisit. D'un geste elle invita Jérôme à prendre le fauteuil libre à son côté. La sociabilité bourgeoise aidant, elle avait recouvré le naturel d'une attitude longuement assimilée. Et puis les politesses permettent qu'on rassemble ses esprits. Les heures qui suivirent la montrèrent jusqu'au soir attentive à l'écoute de l'homme qui contait le détail des années écoulées depuis son départ, encore adolescent, de la petite ville bretonne jusqu'à ce séjour dans les Alpes suisses. Il devait y séjourner une semaine. Il suffisait à Katia d'acquiescer de temps à autre à son monologue. Elle l'écoutait sans rien dire. N'avait-elle rien à confier de sa vie depuis le lycée ? Certes si, mais elle s'enchantait à suivre les développements du causeur et, reconnaissante, se laissait bercer par leur musique allègre. C'est aussi que, par contraste avec les aventures au-delà des mers de Jérôme, son propre récit, tout entier circonscrit dans les limites du Morbihan hors la césure des vacances, ne lui semblait pas de nature à le passionner. Ce en quoi elle se trompait; son visage, son allure, le son de sa voix avaient encore beaucoup à apprendre à Jérôme. Ses yeux sombres étaient éloquents. Par leur intermédiaire, elle racontait plus hardiment sa vie. Il y devinait son passé, y découvrait une langueur indécise, quelques papillons noirs et surtout un désir d'aventures que l'existence n'avait guère comblé. Pensa-t-il aussitôt en profiter ? Le supposer serait injurieux pour mon ami. Mais sa philosophie possédait une morale bien à elle. S'il avait imaginé apporter à Katia un plaisir, je doute qu'il eût hésité longtemps. Il aimait les petits écarts, les manquements sans conséquence, les fautes secrètes, tout ce qui console si bien de la vertu.

Ils paraissaient laisser de côté leur passé commun.

Ils n'y faisaient aucune allusion directe. Mais leurs propos supposaient cependant la référence à des expériences partagées, je ne dis pas vécues ensemble, mais du moins vécues dans le même lieu et le même temps. Katia pouvait redouter la remontée des émois de son adolescence. Son statut de femme mariée lui imposait – c'est ainsi qu'elle voulait raisonner – le devoir d'éviter certaines tentations. En tout cas, c'eût été certainement le jugement de votre père.

Jérôme se déclara célibataire. Comme, en outre, sa morale personnelle faisait fi des conventions, il n'aurait pas hésité à attendrir Katia s'il avait cru la chose immédiatement possible. Encore que son comportement demeurât souvent imprévisible : il pouvait pertinemment abuser ou se laisser abuser selon les circonstances. Ainsi, quand il avait été amoureux au Japon d'une jeune femme qui le trompait, il m'affirma avoir déployé des efforts gigantesques, non pas pour mettre au jour la réalité de ses mensonges, mais pour tenter d'y découvrir quelques fragments de vérité.

Il trouvait Katia plus belle dans sa maturité qu'à l'époque où il l'admirait avec tellement de passion qu'aujourd'hui encore son regard s'en éclairait. Rien ne le retenait sinon la crainte de lui déplaire, de faire renaître quinze ans après ce léger froncement des sourcils qui avait jadis si souvent sonné le glas de ses espérances.

Et puis une semaine s'ouvrait. Il pourrait la revoir, lui parler, chercher à retrouver, à ressusciter peut-être la jeune fille rieuse qui s'assurait négligemment de la présence, à quelque distance, du garçon qui guettait, posté à la sortie du lycée, le moment trop bref où elle passerait devant lui et s'éloignerait le long des grilles.

En montant à la chambre qu'elle partageait avec vous, Sophie, Katia songeait à la semaine qui la séparait de l'arrivée de votre père, le dimanche suivant. A y repenser, le caractère factice, un peu fat, du ton de Jérôme pour se raconter (cela ne lui ressemblait guère) l'inquiétait. Une insistance pareille à paraître plus badin que nature lui avait même semblé sur la fin quelque peu gênante. Qu'allait-il advenir de ces jours de calme qu'elle s'était promis, dans ce village au cœur de l'hiver où l'on se redécouvrait loin du monde, où le rythme de la journée se mesurait au nombre des heures de soleil ou de neige, au mouvement des vents et des brouillards, où les seuls bruits, outre le cri aigre des freux dans les sapins, tournoyant le matin avec la majesté des aigles, étaient le chuintement des skis sur les pistes? Elle aimait cette rumeur de feutre des skieurs de fond; on eût dit le glissement furtif d'un oiseau dans le feuillage qui, par intermittence, rompait à peine − accompagnait, plutôt − l'immense et religieux silence des montagnes.

Cette semaine de vacances, débarrassée des obligations sociales s'attachant à la femme d'un magistrat de province, pendant laquelle elle pouvait se laisser vivre à son seul gré, voilà qu'elle lui paraissait brusquement s'ouvrir sous d'ambigus auspices. Le hasard de cette rencontre, le premier jour, prenait superstitieusement un aspect troublant. Katia, comme si elle extrapolait au présent l'attitude jadis amoureuse de l'adolescent, supposait que Jérôme ne manquerait aucune occasion de lui tenir compagnie tout au long de la semaine à venir. Elle n'imaginait pas que ses sentiments eussent pu varier depuis ce temps. Cette idée l'agitait. A l'anxiété se mêlait, comme par avance, le remords.

Peut-être était-ce d'elle-même qu'elle doutait, de sa capacité jamais mise à l'épreuve de garder le contrôle de soi. La présence de ce compagnon de l'enfance lui rendait d'un coup le goût de sel et d'embruns mêlé à la sueur de la course quand on approchait du rivage, le parfum des étés clairs au bord de l'Atlantique, avec le bruit de grillon obstiné de la bicyclette quand elle descendait, en roue libre, les chemins creux, tous ces riens accumulés, oubliés, qui étaient devenus un jour le meilleur de sa vie.

Mille émotions, plus encore de sensations avaient attendu des années la lumière qui les réveillerait. Des ombres se dressaient maintenant devant elle, des fantômes tendres, si précis en sa mémoire. Tout ce qu'elle devinait dans leur sillage, dans l'appel d'air ancien ainsi provoqué, allait perturber le repos des sens et du cœur auquel depuis son mariage elle tenait ou croyait tenir plus qu'à tout.

Katia ne regagna pas le salon où peut-être Jérôme l'attendait. Elle s'allongea habillée sur son lit pour, peu après, ravisée, se dévêtir et de nouveau se coucher, cette fois avec l'espoir de glisser insensiblement dans le sommeil comme dans une longue chemise fraîche.

Deux heures plus tard, elle feuilletait un livre sans pouvoir y fixer son attention. Il était à sa montre un peu plus de minuit. Nul bruit au-dehors si ce n'était parfois, tel le froissement d'une aile, le battement du vent sur les carreaux. Un vaste silence habitait les profondeurs de l'hôtel. Un son léger, un bruissement de souris? la fit sursauter. Elle regarda tout autour de la chambre et ne remarqua rien d'anormal. Elle se fit plus vigilante mais ne capta rien d'autre que, sourd et précipité, le cours du sang en ses artères. Elle inspecta une fois de plus le sol le long des murs. Saisie, elle poussa un faible cri. Son cœur battit la chamade comme si un danger la menaçait.

Ce n'était rien pourtant sur la moquette sombre qu'une enveloppe blanche. Glissée sous la porte, elle baignait dans la clarté doucement lunaire de la lampe.

Katia courut ramasser la lettre. Elle était lourde dans sa main. Debout au milieu de la pièce, Katia la tourna et retourna entre ses doigts. Elle tremblait sous sa chemise légère sans que le froid y fût pour beaucoup. D'un doigt, elle avait arraché le rabat qui maintenant bâillait comme un coquillage. L'enveloppe livra une liasse de feuilles couvertes d'une fine écriture. Katia, d'un geste ambigu, posa le tout contre sa poitrine. Ainsi serre-t-on contre soi un objet cher ou dissimule-t-on une preuve compromettante. Encore cette attitude peut-elle être comprise comme une marque de résignation devant ce qu'on n'a pu prévenir et face à quoi désormais il ne reste plus qu'à montrer du courage.

Elle prit le temps de s'installer commodément contre l'oreiller, de remonter le drap jusqu'au-dessous des seins. Alors seulement elle ouvrit les pages repliées en trois volets. Elle dévora les six premiers feuillets.

C'était une lectrice remarquable et passionnée, on a dû certainement vous le dire. Pourvu qu'un texte manifestât une musique, un talent d'expression, elle se laissait tout de suite emporter. Elle n'avait pas besoin d'y croire pour s'y croire. Après tout, le meilleur peintre de Florence n'est jamais allé à Florence. Vous devinez comme ce que contait Jérôme – qui savait écrire, je vous l'assure – pouvait la toucher. Cette fois, non seulement les mots, le rythme des phrases la charmèrent, mais elle revécut en même temps et comme jamais les souvenirs évoqués. Quand certains faits lui demeuraient étrangers, malgré ses efforts de mémoire, elle ne savait plus si c'était de les avoir oubliés ou de ne les avoir jamais connus.

Ce fut une expérience enivrante. C'est ainsi que Jérôme commença son jeu de séduction. Durant le jour en compagnie de votre mère, il ne parlait jamais de leur passé commun. Mais chaque soir, au long de cette semaine de vacances, elle trouva sous sa porte une lettre de quinze à vingt feuillets. Il faut tenter d'imaginer l'effet que cela put avoir sur elle. Cette jeunesse retrouvée qu'on lui offrait, cette figure de jeune fille, c'est peu dire qu'elle ne les reniait pas : elle s'y ressourçait tout entière et s'attardait à y ajouter des détails, de ces infimes précisions qui sont la marque d'une âme sensible. A partir de l'esquisse, elle n'avait aucun mal à terminer le portrait. Un rien, une notation de couleur, de senteur lui suffisait. Ainsi le moindre caillou lancé dans une eau dormante y propage-t-il des ondes sur toute la surface.

Elle laissait se raviver lentement le souvenir, avec ce bonheur d'encerclement que crée la nostalgie : une sorte d'hébétude désirée, la montée d'un flot où l'on se perd, acquiesçant à son sort. Jérôme usa sans trêve de ce pouvoir. Sans doute faut-il même reconnaître qu'il en abusa. Mais à lui seul, ce comportement n'aurait pas vraiment tiré à conséquence...

Puisque j'ai promis de dire ce que je sais, il faut, avant d'en venir à ce terrible dimanche après-midi, retracer tout ce qui perturba cette semaine à la neige. Une des évocations qui bouleversa le plus votre mère fut le rappel des grandes messes de la cathédrale. Jérôme y insista quand je le « confessai » au lendemain de son retour de Suisse, la dernière fois.

Cette année-là, dont le rappel eut tant de pouvoir sur votre mère, elle avait en réalité non pas quinze ans, comme le soulignait Jérome, mais tout juste quatorze. Il était quant à lui pour son entourage dans ce qu'on pourrait appeler sa période religieuse. Il témoignait alors d'une piété très vive. A un point tel que ses parents craignirent un instant qu'il ne couvât une vocation de prêtre, ce qui n'était guère « dans leurs idées ». Sa marraine, qui habitait la maison voisine, y voyait au contraire un aboutissement heureux et elle déclara commencer à faire des économies pour lui offrir à son ordination le ciboire d'argent traditionnel. Avec elle, la semaine pascale de ce printemps-là, il se rendit chaque soir à la veillée dans la cathédrale. Ses parents, vraiment inquiets, y mirent le holà avant le vendredi saint.

Leurs craintes étaient vaines, et pour plusieurs raisons. D'abord, il était plus sensible aux talents oratoires des religieux qu'aux canons de la foi. Pour le reste, son assiduité aux offices, notamment à la grand'messe de dix heures le dimanche qu'il déclarait préférer entre toutes, avait des motifs totalement étrangers au culte. S'ils les avaient décelés, les parents n'auraient cependant pas été rassérénés pour autant — encore que le danger ici eût été plus facile à contre-carrer. En effet, l'idée que leur fils pouvait « fré-

quenter » constituait à leurs yeux une des menaces
les plus inquiétantes pour son avenir. Ils avaient guetté
l'âge où il laisserait percer un intérêt pour l'autre
sexe, ce qui, dans leur esprit, sonnerait le glas de la
réussite scolaire. Mais ils n'avaient rien vu venir.
Même en vérifiant les mouchoirs qu'il donnait à laver.
Ils étaient loin d'imaginer que le mystère féminin
occupait pratiquement toutes ses pensées.

Katia assistait aussi à la grand'messe, mais en
compagnie depuis toujours de sa famille. Sans piété
particulière, elle prenait plaisir à la cérémonie. Elle
y éprouvait une torpeur agréable, proche de l'engourdissement que créent, chez le coiffeur, les ciseaux
qui vous courent sur la nuque avec un piaillement
d'oiseaux, pendant qu'on se regarde sans se voir dans
le miroir embué.

Les jours de fête, les grands candélabres de la
cathédrale étaient illuminés, suspendus très haut
dans l'ombre de la voûte à de lourds filins d'acier.
Sur la gauche, en arrière de l'autel, les choristes de
la manécanterie dodelinaient de la tête. Leurs aubes,
quand ils se soutenaient en changeant de pied, fré-
missaient comme sous l'effet d'une risée.

Jérôme cherchait toujours à se placer juste derrière Katia. Ce dimanche il était à deux rangées de
chaises. Il y avait peu, elle s'était retournée d'un
mouvement vif comme pour prendre l'heure à l'immense horloge qui surplombait la nef. Elle avait
ainsi vérifié sa présence. Jérôme (elle devait le pres-
sentir) vivait toute la semaine dans l'espoir de cette

heure où il pouvait tenir sous son regard la silhouette familière. Il s'attardait sur les jambes rondes que l'agenouillement lui offrait, sous le rideau de la jupe. Il rêvait sur la blancheur des genoux, le velouté de l'épiderme. Il ne bougeait plus d'un cil, heureux dans le silence épaissi des chuchotis de la prière où rien ne le distrayait de sa contemplation, pas même le fracas des orgues déversant leurs cataractes d'accords ou bien s'apaisant, lançant une procession de sons flûtés, frais comme une ronde enfantine.

Katia s'était levée. Par erreur, alors que tous restaient prosternés. Jérôme y verrait un trouble où sa présence avait un rôle. Confuse, elle se laissa choir sur le prie-Dieu avec une grâce qui n'était peut-être due qu'à la précaution. La paille tressée avait marqué ses genoux. Elle passait la main sur les stries de peau qu'il devinait blanches et rouges, ces sillons froids au toucher qui procurent pourtant une sensation de brulûre et dont il aimait, plus jeune, quand il était en culottes courtes, suivre du doigt l'ondulation.

Dans le mouvement qu'elle eut, remontant les épaules, la jupe se releva, découvrant une seconde une moisson nouvelle de roseurs. Au même instant une pluie de soleil au travers des vitraux élevait une légère brume en lisière de la silhouette adorée, irisant la joue, le bras, la jambe, toutes les peaux nues de la jeune fille, tamisant les lignes, renforçant les modelés et leurs teintes douces. Un élan l'emporta. Il frissonnait, il se sentait un peu fou, et là, oui, il avait la foi!

Quand Jérôme avait eu la chance de se glisser

juste à côté de Katia, le moment de la communion marquait l'apogée de cette effervescence. Il connaissait pourtant des affres nouvelles : la crainte de ne pas ouvrir la bouche au bon moment quand le prêtre lui présenterait l'hostie ou, plus grave, celle de mal transmettre à Katia, inclinée épaule contre son épaule, la patène circulant de proche en proche et qu'il tiendrait sous le menton, le temps de refermer ses lèvres sur le rond de pain azyme. Il imaginait Katia laissant échapper, par sa faute à lui, le petit plateau d'argent qu'il entendait choir sur les dalles dans un vacarme effrayant. Sa maladresse le rejetterait pour toujours loin d'elle, la honte annihilant tout espoir.

Son plus grand bonheur était de recevoir la patène des mains de Katia. Car alors il lui laissait l'initiative et pouvait croire, si leurs doigts se frôlaient, que son geste était volontaire. En revanche, un attouchement qu'il avait lui-même favorisé laissait place à trop d'incertitude. Quand ils se trouvaient l'un contre l'autre agenouillés, il n'osait appuyer sa grosse veste de tweed — qu'il savait trop large du bas parce que taillée dans un ancien manteau — contre la fragile étoffe de la robe qu'elle portait, comme s'il craignait de la marquer de sa lourdeur.

Ils étaient là, regardant droit devant eux. L'enfant de chœur jouait avec le cordon de son aube. Il précédait l'officiant. Inexplicablement le plateau s'attardait. Jérôme le surveillait, le saisissait. La vieille femme qui le lui avait tendu traduisait par un clappement de langue sa piété satisfaite. Il engouffra à son tour l'hostie. Katia patientait, les mains jointes. Il lui glissa la patène, pâle, angoissé. Il toucha à peine une fraction de seconde deux doigts glacés. Il la suivait maintenant dans l'allée. Il entendait son pas sur la dalle. Elle avançait lentement. Il n'osait la dépasser. Elle flânait sans en avoir l'air, les bras croisés, les yeux baissés, pénétrée de gravité, irréprochable. Elle avait repris sa place. Il s'arrêtait deux rangs plus loin. Furtif, un regard le fouettait, l'esquisse d'un sourire. Auprès de sa famille au complet, innocente, elle lui tournait de nouveau le dos.

Il gardait la bouche close sur cette pastille sèche qu'il cherchait à ramollir de sa salive, car il était strictement interdit de la croquer. Ces efforts pour détacher l'hostie des vrilles du palais lui conféraient un air de profonde concentration religieuse.

A la sortie, Katia et les siens disparaissaient dans la grosse voiture noire garée à côté. Jérôme traînassait un moment sur le parvis, près du Suisse rutilant qui faisait résonner à chaque pas sa gigantesque canne. Les familles se dirigeaient dans un envol de fillettes et de garçonnets vers la pâtisserie.

Pour rentrer à la maison, il faisait un détour par la rue Joseph-Le Brix. C'est ainsi qu'un dimanche il se retrouva dans l'entrée du cinéma Le Royal, immobile devant l'affiche des *Cousins*, un film interdit aux moins de seize ans d'un certain Claude Chabrol dont il n'avait jamais entendu parler. Cette liberté de mœurs que promettait l'annonce le laissa songeur.

Ce qui me paraît maintenant avoir pris de longs mois ne dura peut-être que quelques semaines. Je me souviens qu'il y eut, à une époque imprécise, une sorte de rémission. Jérôme s'enflamma pour d'autres filles – avec le même succès quand il appliquait la même méthode, c'est-à-dire quand il était vraiment amoureux, avec plus de réussites quand la seule curiosité sexuelle l'animait et que la fille était elle-même plus amusée que séduite. Puis il y eut une période de latence et enfin, bien plus tard, il reprit le cycle de cette très particulière manière de plaire.

Il faut dire que Jérôme avait un comportement parfois étonnant. Quand le cours des événements lui paraissait trop rapide, il n'hésitait pas à le ralentir artificiellement : il aimait avant tout sentir, ressentir chaque instant, chaque étape. S'il s'était interrogé, il aurait volontiers reconnu que le but ultime ne l'intéressait pas tellement. Ce qui comptait, ce qui importait, c'était le bon chemin pour y arriver.

Cela me fascinait chez lui. D'autant que j'avais (sans me le dire, alors qu'il passait le plus clair de son temps à s'analyser) une attitude identique. Je lui dois d'avoir gardé en mémoire tant de détails de cette époque, tous ces moments papillotants passés dans le grand jardin de l'enfance.

Il faut aimer la sensation, Sophie, il faut goûter l'émotion, pas seulement les vivre. Et plus rares, plus fugacement dispensées par l'existence seront-elles, plus vaste sera leur prolongement au cœur de notre vie, plus profond leur écho tout au long des années.

Il est arrivé à Jérôme de se contenter de peu auprès de jeunes filles, de femmes qui lui eussent volontiers accordé davantage, ceci afin de jouir plus longuement de chaque pas gagné, se satisfaisant d'une lenteur étudiée. Chaque stade de l'approche était ainsi transmué en réserve, en énergie du souvenir, en une source d'alanguissement, de nostalgie, c'est-à-dire (chez lui tout au moins, mais comme pour beaucoup, je pense) de bonheur.

J'ai cru longtemps cette capacité spécifique de Jérôme et, par ricochet, de moi. J'en connus une joie immodérée. Voyez qu'il ne me fallait pas grand-chose! Par la suite, je dus me rendre à l'évidence. Cette alchimie n'avait rien d'exceptionnel. Nombre d'événements quotidiens sont capables de nous toucher à jamais, même liés à des circonstances banales. Il suffit d'une situation favorable : un rêve heureux, à l'aube, une lumière qui s'accorde au crépuscule, pour favoriser l'attendrissement et le romantisme sans raison. Ou simplement l'ivresse légère d'une fin de repas; bref, une sensibilité née de l'occasion. Ainsi les amoureux, pour la durée éphémère de leurs premiers moments, se découvrent un goût soudain pour certaine chanson, un air de musique, une couleur, une fleur, une phrase cueillie dans la rue ou le journal, associés à leur rencontre, et qui, en temps ordinaire, les eussent laissés indifférents. Ils oublieront tout aussi vite.

Seuls peut-être, la transsudation au travers du temps, le tamisage de la mélancolie permettent-ils plus tard de tendre à nouveau l'écran où en projeter une image pâlie...

Ainsi l'on croit parfois avoir perdu depuis longtemps la perception de douceur d'un genou, l'intuition d'une peau légèrement dorée d'une fine épaisseur de nylon, où chaque mouvement organise un entrelacs de lignes émouvantes. Voici qu'une femme, descendant d'un taxi inopinément devant vous, vous rend la féerie. D'éphémères figures d'un jeu de muscles et de tendons gracieux accomplissent l'élasticité parfaite, le galbe sculptural de ce doux nœud de chairs que l'on a peine à imaginer appartenir à un corps entier et immense, inaccessible et pourtant cette fois définitivement reconnu.

Je me rappelle l'odeur de fruit tiède, abricot et pêche, sur l'épaule de Claude, en bord de Loire, un après-midi d'été alors que nous étions assis dans un champ de seigle, à tenter d'attraper un cœur. Un parfum de confiture, un matin par surprise à Tolède, me l'a rendu. La respiration saccadée d'une petite compagne de jeu, hors d'haleine d'avoir couru après un ballon de plage, et qui renaît soudain dans celle d'une femme haletante, les mains au profond des cuisses, lourde et lente, sexuellement excitée et qui ne comprendra jamais tout à fait notre émotion de ce jour-là.

Tout cela qui se tient, invisible, endormi dans le champ de ronces de notre mémoire, quel prince le réveillera? Et pour quel usage? Y a-t-il quelque chose à retrouver dans le spectacle des jeunes

employées que fatigue sournoisement le métro et qui,
levant le bras pour s'accrocher à la barre d'appui
verticale, ouvrent grand les pans de leur manteau
sur la laine ou le jersey massant deux rondeurs
pesantes de sève?

Où désormais (et pour qui?) le facteur s'essuie-
t-il la moustache, mouillée du vin rouge bu d'un
trait sur un coin de la table de cuisine? Satisfait des
étrennes reçues, il s'attendrit à relater les nouvelles
dont par pure politesse on s'enquiert, les enfants
batailleurs, la femme malade, tenue au lit par une
affliction mystérieuse. Serait-ce, mais jamais il ne se
l'avouera, qu'elle a dû, seule, s'avorter entre l'évier
et le fourneau au moyen d'une tige de persil? Et
l'alcool lui coule entre deux grosses larmes sur la
joue.

Katia dut songer à de tels phénomènes le deuxième
soir où elle découvrit, déposée pour elle à la réception
de l'hôtel, une enveloppe éclatant sous l'épaisseur
d'une forte liasse de feuillets pliés. Une autre lettre,
affranchie celle-là, l'accompagnait. Elle n'eut pas à
s'interroger sur l'identité de ses deux correspondants. Le « premier président » écrivait tous les deux
jours à sa femme, régulièrement, soigneusement,
brièvement. Quant à la première enveloppe, que
Jérôme donne une suite à ses confidences ne fut pas
non plus une surprise.

La lettre racontait. La nuit encore. Jérôme se hâtait sous la pluie pour arriver à temps au cours de sciences naturelles de huit heures, le mardi. Il avait guetté longtemps l'arrivée de la silhouette espérée. Il était en classe de troisième, Katia en quatrième. Près d'un an déjà. Il n'y avait aucune raison que cela cesse. Le jeu s'éternisait. Une telle constance, cependant, semblait ne pas avoir de but réel tant ce garçon ne disait rien, ne désirait rien, aurait-on dit, qu'à se trouver là pour attendre Katia, toujours là comme un témoin inutile qui, parfois sans plus de raison, se mettait en tête de la suivre. Pour toute ambition.

Tant de fidélité la touchait peut-être. A d'autres moments, elle était lasse de ce manège et s'agaçait de cette garde continuelle devant sa porte, sur ses itinéraires. Lasse de ce garçon taciturne qui se contentait de l'interroger des yeux.

Pourtant, s'il y mettait moins de conviction, s'il avait disparu un jour ou deux, elle avait un geste, une parole qu'un frère ou un ami lui répéterait et qui pouvait passer pour un encouragement. Agissait-elle ainsi consciemment? Jérôme s'interrogeait mais ne cherchait pas plus loin. La seule vraie question qu'il formulait, il la posait au ruisseau emportant de frêles esquifs en écorce de pin qu'il lançait à la recherche d'auspices consolateurs. Disparaissant à sa vue sans chavirer, se fracasser contre les pierres du gué ni s'emprisonner dans les herbes, les morceaux de bois signaient une promesse de bonheur. Le cours d'eau, implacable, anéantissait-il son vœu, il se donnait trois essais avant d'en tirer conclusion. La deuxième tentative échouant, il ne savait plus devant la troisième, réussie, s'il devait se fier à cette maigre certitude et il tentait une quatrième, une cinquième chance sans obtenir un oracle définitif.

De même, il interrogeait le sable des grèves, son prénom attaché au sien, gravés dans le sable dur, près de l'eau, jusqu'à ce qu'une vague un peu plus longue les emportât. Et lui persévérait tout au long de la baie, déguisant sa demande les jours où il était accompagné de ses parents, ourlant sur la plage un graphisme lisible pour lui seul, qu'un peu plus tard le flot déchiffrerait avant de l'effacer. Avec la même patiente impatience, il dépouillait les pâquerettes de leurs pétales et, jamais satisfait, exigeait d'un monceau de fleurs mutilées l'obsédante promesse : m'aime-t-elle?

J'ai dit que Katia avait l'art de ranimer son espoir quand il faiblissait. Il m'en revient un exemple précis. C'était une fin d'après-midi. Jérôme était aux aguets sur la route bordant la promenade de La

Rabine qui menait chez Katia et aussi, plus loin, jusqu'à Conleau, la petite plage du golfe que fréquentaient les familles vannetaises ne possédant pas de voiture. Deux vieux cars ventrus, ronds comme des outres, portant à l'arrière « Cautru », le nom de leur compagnie – qui paraissait parfaitement accordé à la forme des véhicules –, faisaient le trajet chaque quart d'heure entre la ville et la presqu'île.

Jérôme était posté à l'angle de l'avenue De Lattre et de la petite rue longeant le parc des sports, près du kiosque à musique. Les dimanches d'antan, aux beaux jours, les citadins y venaient entendre des marches militaires d'opérette ou des valses à flon-flons. Dans sa prime jeunesse, il avait connu les derniers échos de cette époque, les ultimes parfums d'un mode de vie que je comparerais à ces grosses fleurs pâles qui ornent le cœur d'un massif de feuillage, magnolias ou hortensias. Elles cessent de vivre sans perdre leurs pétales, sans tomber, séchant sur leur tige. Simplement, un beau jour elles n'épanchent plus nulle fragrance et leur couleur lentement s'estompe pour virer uniformément au gris.

Voyez-vous, j'ai de plus en plus souvent l'impression que notre génération a respiré les dernières exhalaisons d'un autre temps, depuis disparu, sans remarquer de quels bouquets déjà à demi desséchés nous venaient ces senteurs.

Je me souviens très bien du kiosque quand il s'animait une ou deux fois l'an. Les soirs de 14 juillet, il donnait le signal de la retraite aux flambeaux. Une clique dont je ne suis plus sûr du nom, *La Vannetaise* peut-être, martelait un air martial, et des centaines de luminaires multicolores s'éveillaient dans le crépuscule. Beaucoup auraient une existence écourtée, car le papier chinois, plissé comme une jupe de cérémonie, prenait facilement feu au balancement conjugué de la marche et du vent, amplifié par la longueur du manche en bois. Le porteur abattait alors son lampion et, autour de la flamme vive, les rangs s'ouvraient un instant. Puis tout reprenait son cours normal. L'obscurité alentour semblait accrue de l'incident.

La procession s'ébranlait. Passant devant chez Katia dont Jérôme ignorait alors l'existence – pendant combien d'années, mille rencontres méconnues dans les rues de la petite ville! –, le groupe s'empressait au milieu de la chaussée, propriétaire de l'espace, et enfin gagnait le quai du Pont Vert où accostaient les bateaux de commerce.

Là, autour des musiciens, la foule se regroupait et se tournait vers une maison au crépi rose vif bâtie à l'angle d'une ruelle en forte pente. Le mur d'enceinte, immensément haut, manifestait non l'excessive méfiance des habitants mais la différence de niveau entre la rue et le sol du jardin. La fanfare redoublait d'entrain puis brusquement faisait silence. Tandis que, dépassant du mur à hauteur de la taille, un vieil homme en costume sombre délivrait un grand signe du bras à l'assemblée. On entrevoyait un instant les taches blanches du visage et des mains, puis la forme humaine se retirait, mangée par la muraille. C'était le maire de la ville, c'étaient là sa demeure et l'hommage que venaient lui rendre une fois l'an ses administrés.

Près du kiosque, comme Katia n'arrivait pas, exaspérant l'attente, Jérôme s'avança à vélo, roulant le plus lentement possible afin de ne pas s'éloigner du lieu tranquille qu'il avait choisi pour la rencontre. Enfin il l'aperçut. Il reçut une fois encore le choc de son visage énigmatique. Il redoutait l'incident vécu quinze jours plus tôt à ce même endroit. Le découvrant, elle avait emprunté un autre chemin le long du parc des sports alors que, de confiance, il avait fait demi-tour et attendait qu'elle le rattrapât. Quand il s'était retourné, intrigué, il était trop tard.

Cette fois, un pied à terre, il surveilla sa venue. La rue était, je vous l'ai dit, bordée à gauche par la promenade de La Rabine. A droite courait la haute muraille d'un couvent, hérissée de tessons de bouteilles. Sans transition, le même rempart protégeait l'école normale d'institutrices. Une simple clôture interne séparait les bastions opposés de la laïcité et de l'église. Jérôme avait choisi de rencontrer Katia à cet endroit parce qu'il le savait peu fréquenté. Les rares passants utilisaient les allées de la promenade en contrebas, derrière un rideau de buis. Approcher la jeune fille suffisait à le paralyser; la présence de témoins aurait interdit toute initiative.

De l'autre côté de la chaussée, elle pédalait avec un soin outré, sans un regard pour lui. Maintenant, elle était à sa hauteur. Elle était passée. Avec un temps de retard, après une poursuite d'une cinquantaine de mètres, il la rejoignit. Ils avancèrent côte à côte. Elle guettait ses paroles mais, la gorge nouée, il ne trouvait plus rien à dire. Ils approchaient de chez elle et toujours cette boule d'herbes sèches, coupantes, au creux de la gorge. Encore quelques mètres et elle disparaîtrait derrière le portail qu'il connaissait bien. Vingt secondes et ce serait trop tard. A tout jamais, car comment effacer, comment oublier une telle impuissance?

C'est alors qu'il entendit, spectateur de soi-même, des sons jaillir de sa poitrine : « Je voudrais te parler! » Le ton était rogue, la voix enrouée, alors qu'il eût tant souhaité être affable, aimable, plein d'aisance. Elle ne répondit pas. Rien d'hostile pourtant dans son attitude, une réserve plutôt. Réfléchissait-elle? Elle avançait, muette toujours. Il s'affola. Elle allait s'échapper. Il lança : « Tu ne veux pas! » qui constatait déjà son échec.

Elle avait mis pied à terre et poussait le portail. Ses yeux se posèrent sur lui, calmement. Elle balançait sur le principe même d'une réponse. En même temps, sa constance la flattait. Elle ne voulait pas le repousser trop brutalement. Il recueillit deux mots, prononcés alors qu'elle ne montrait plus qu'un visage entre les deux vantaux de métal qui se refermaient : « Peut-être... » Le portail résonna lugubrement. Il entendit, sans savoir qu'il le notait à jamais, le petit cliquetis de la roue libre pendant qu'elle s'éloignait, invisible dans l'allée du jardin.

Quinze jours s'écoulèrent. Découragé, il avait évité depuis sa dernière tentative toute approche de Katia, Mais un matin, son jeune frère Gwernig était venu trouver Jérôme pour lui proposer, si cela l'intéressait, de lui procurer l'emploi du temps de la jeune fille. Ainsi, il connaîtrait les jours, les heures où il pouvait à coup sûr la rencontrer à la sortie des cours. Ce n'était pas tout. Pour qu'il n'y eût aucun doute sur la raison de sa démarche, Gwernig ajouta : « Katia m'a dit de te dire que si tu lui parles, elle te répondra. » Jérôme sollicita aussitôt des précisions. L'autre n'en pouvait fournir. Il insista, voulut connaître comment, pourquoi Katia avait prononcé cette phrase et demandé à Gwernig de la lui répéter, etc. Le jeune garçon empocha les chewing-gums que Jérôme lui glissa dans la main, mais il n'en savait pas davantage.

Ainsi, elle le relançait. Le soir même, il répondait à l'appel. Dès qu'elle l'aperçut, il crut lire sur son visage un sourire de victoire. Il voulait à toute force éviter de se retrouver dans la situation de leur dernière entrevue, mais l'angoisse qui l'étreignait ne présageait rien de bon. Pour un peu, il serait reparti à toute allure. Il eût été heureux, comprenez-vous cela, heureux de s'éloigner au plus vite pour faire cesser cette agitation qui l'emportait.

Une voiture l'obligea à serrer sa droite et ils furent tous deux botte à botte sur leurs bicyclettes. Il avançait au jugé, le visage tourné vers elle.

– Katia, lança-t-il.

Elle le regarda droit dans les yeux. Ses pupilles sombres semblaient palpiter doucement comme deux cachous humides. Elle attendait la suite calmement, sans réagir. Du moins, dans son affolement, lui parut-elle l'exemple de la maîtrise de soi.

Soudain il se sentit inondé de joie. Il ignorait quel fait insignifiant l'avait délivré.

– Ici, on n'a pas le temps de se parler. On pourrait se voir ? Je veux dire : ailleurs ?

Le sourire était revenu sur ses lèvres. Elle avait la bouche trop grande, il le constatait encore pour le négliger aussitôt. Elle dit :

– Oui.

– Jeudi ?

– Oui...

– A la pointe des Émigrés, où tu vas promener ton chien ?

– Oui.

– A cinq heures ?

– Oui.

– Katia...

Ce n'était pas un appel que ce prénom lancé avec précaution entre eux. C'était quelque chose au-delà de l'éblouissement, un mot qui n'avait plus de sens, un océan de stupeur. C'était trop pour lui, en trop peu de temps.

Il avait actionné le frein. Il l'avait observée qui franchissait le portail et le gratifiait d'un dernier regard. Le pli de ses lèvres était redevenu hermétique mais il ne s'en souciait plus. Il attendait que les remous s'apaisent en son esprit pour saisir l'importance fabuleuse de l'événement. Il avait rendez-vous avec Katia. Il avait rendez-vous avec elle pour la première fois.

Déjà, en soi, un rendez-vous avec une fille, cela sortait du commun. Mais que Katia eût accepté tenait de la féerie. Il se réjouissait des deux jours qui le séparaient de la consécration du bonheur. Car pendant ce temps, combien de songes pourrait-il vivre, combien de variantes pourrait-il imaginer, combien de conjonctures neuves à broder, de situations nouvelles, inouïes à agencer, quel cocktail de sensations pourrait-il se représenter avec le soin méticuleux, le souci du détail d'un miniaturiste? Il ne doutait plus de toucher au but. Sans savoir ce qu'il en espérait réellement, cette rencontre emplissait tout, se substituait à tout comme la clarté du jour fait pâlir et rend inutiles les lumières.

Il se sentait vacant ainsi qu'au lendemain d'un examen, avec soudain tant d'occupations possibles que l'étude jusque-là interdisait. Mais de se savoir totalement disponible empêche de rien entreprendre.

Pourtant, derrière ce flot de musique délectable, un petit bruit discordieux se faisait entendre, lié à l'inéluctable confrontation du rêve et de la réalité. Il n'avait pas suffisamment vécu pour présager ce qui l'attendait, mais il en avait une prémonition. La liqueur la plus douce finit à la longue par laisser au palais un relent d'amertume. La déception guette nos espoirs les plus avérés. On se trouve bien avisé de s'y préparer. S'il en avait vraiment eu la liberté, il s'en serait tenu là, de savoir le bonheur possible, si près qu'en étendant le bras il avait la certitude de pouvoir le toucher. Tout le malheur du monde vient de vouloir y refermer les doigts.

L'imminence de l'événement détournait de toute nouvelle initiative. Jusque-là, quand il rencontrait Katia en un lieu quelconque, il se persuadait qu'elle le fréquentait assidûment et dès lors y revenait à toute occasion. Il avait appris ainsi à connaître le chemin de halage le long du port. Le moindre caillou lui était devenu familier. Il aurait été capable de dire, les yeux bandés, à l'élasticité du sol, au bruit d'étoffe froissée des pneus sur la terre sableuse, à quel endroit précis il se trouvait. Il y venait souvent pour regarder de l'autre côté du bras de mer le ciel gris et rose, changeant selon les heures. Il s'inventait des itinéraires compliqués entre les rocs qui affleurent, les touffes de lande, les bittes d'amarrage à demi arrachées sous l'étreinte d'une amarre possessive. Il pesait de toutes ses forces sur les pédales pour, grâce à la vitesse acquise, se laisser aller sous les arbres penchés par le vent d'Ouest. Le bruit de la roue libre rythmait sa rêverie avec un bourdonnement de hanneton entre ses jambes. Il s'oubliait dans la joie simple d'être là.

Il longeait les anciens marais. Il y passait des jours entiers. Un chien, pour rien, levait des poules d'eau. A un coude du chemin, une ancienne ferme dominait le paysage. En fin d'après-midi, une fenêtre s'allumait au dernier étage. Il y paraissait quelquefois une silhouette de jeune fille. Les heures étaient ponctuées par le chargement ou le déchargement d'un cargo, accosté peu avant le Pont Vert. Il restait là deux ou trois jours, à demi échoué à marée basse, dans l'odeur douceâtre des aliments pour bétail qui, avec des rondins de pin en partance pour des mines hollandaises, étaient les seules marchandises du commerce portuaire. Le quai noir de mâchefer se recouvrait d'une fine pellicule rose et grasse à l'odeur de poisson. Un matelot blond retouchait de peinture quelque partie de la coque et interpellait les filles de passage dans un langage inconnu qui les faisait glousser.

Vers six heures le vent faiblissait. Le ciel s'enveloppait de gazes sanglantes. Jérôme se décidait à rentrer après un dernier regard là-haut vers la petite fenêtre de nouveau éclairée, vaguement triste d'un chagrin sans raison.

Les relations entre Katia et Jérôme semblaient devoir s'établir cette fois de façon solide. Mais un incident survint. Je vous le raconte, Sophie, pour vous montrer que la passion la plus apparemment éthérée peut s'accompagner d'appétits très concrets.

Chaque quinzaine, une trentaine de garçons et filles se retrouvaient dans une grange du moulin de Campen, dans les bois du Vincin, en compagnie de l'abbé Kergrain. Les murs nus étaient badigeonnés de chaux. Au-dessus des têtes, le foin répandait son parfum de nuit d'été et de poussière. J'en parle de source, puisque j'y étais. L'air s'enrichissait d'odeurs diverses, s'alourdissait de cris, de chuchotis. Les garçons sentaient le bois brûlé, les filles le lait caillé. C'était une séance de cinéma, ruse tactique afin d'attirer la jeunesse pour lui délivrer ensuite une page d'histoire sainte.

Ce jeudi-là, Jérôme était à mon côté, assis à l'extrémité d'un banc, près de l'allée centrale. Au-delà se tenaient les filles. Katia se trouvait juste en face, au bout du rang; ses compagnes se poussaient toutes des hanches, avec des rires étouffés, pour tenter de la faire tomber aux pieds du garçon.

A la sortie, dans une bousculade savante, une main frôlait un tablier de toile, un corsage d'organdi, un bras nu qui se retirait vite. On entendait murmurer les copines commentant l'affaire.

A cette séance de printemps, Anne-Odile, une camarade de sports de Katia (elles jouaient ensemble au basket) jeta son dévolu sur Jérôme. En quelques jours il serait avec elle plus avancé qu'avec votre mère au bout d'une année! Il l'embrasserait à pleine bouche à l'abri d'une porte cochère, tremblant d'être surpris. A vrai dire, c'est elle qui l'embrassa, aspirant bruyamment la lèvre du garçon, s'excitant elle-même à mesure, soufflant comme un animal tirant sur sa laisse.

Elle lui avait donné rendez-vous au moyen d'un billet transmis secrètement par une amie qui ne s'entendait pas avec Katia et s'enchantait de cette trahison. Il devait se trouver à la sortie de l'institution religieuse où elle était pensionnaire. C'était un samedi du mois de mai.

Quand Anne-Odile l'aperçut devant la porte, elle fit mine de s'en offenser. Et comme elle semblait l'éviter, filant vers la gare routière, il crut sincèrement à un malentendu. Elle passa sous le pont de chemin de fer, parcourut l'avenue Saint-Symphorien. A la hauteur de la rue Olivier-de-Clisson, elle s'arrêta net, posant à terre la petite valise qu'elle transportait. Il pensa qu'elle était fatiguée. Mais elle se retourna et il vit tout simplement qu'elle l'attendait. Il pressa le pas, inquiet comme un enfant fautif alors qu'elle le regardait avec un large sourire.

– Bonjour! fit-elle d'un ton enjoué.

– Bonjour.

Sa voix était rauque. Il ajouta :

– Je voulais...

– Oui. On marche un peu?

Cela n'exigeait pas de réponse. Ils repartirent sur le trottoir étroit, l'un à côté de l'autre. Elle portait d'un bras léger sa valise. Ils parcoururent la rue La Fontaine, encaissée entre des maisons à encorbellement, dépassèrent l'église Saint-Patern, au clocher de pierre rond. Le même dôme, hors la dimension, culminait non loin de là à l'enseigne des magasins Saint-Rémy, vêtements en tous genres. Sur ces derniers, la croix avait été remplacée par une grosse olive de pierre. Il en fit la remarque à la jeune fille. C'étaient les premiers mots qu'il prononçait. Elle parut très intéressée.

Ils s'engagèrent dans la rue Saint-Nicolas, au trottoir si exigu qu'il dut marcher derrière elle, bousculé par les passants. Près de la porte Prison, il lui désigna dans le renfoncement une minuscule charcuterie où, enfant, il venait avec une voisine acheter quelques sous de graillons, petits morceaux de porc à demi carbonisés tombés à la cuisson du saindoux, qu'il dévorait avec gourmandise et qui, craquant sous la dent, émiettaient une forte saveur de grillé.

N'habitant pas la ville hors du temps scolaire, Anne-Odile n'avait pas la même familiarité des lieux. Encore que les jeudis, quand elle ne suivait pas l'entraînement du basket, elle promenât interminablement son ennui le long des artères principales – rue du Mené, rue Thiers –, en compagnie de deux ou trois camarades. A condition toutefois d'avoir pu échapper à leurs « correspondants ». L'institution du Ménimur exigeait, avant de laisser sortir les filles, une caution de moralité sous la forme d'une famille agréée par les parents. Difficile de tricher. D'autant qu'en uniforme, bas blancs, jupe plissée bleue, blazer, absence du béret tolérée, elles ne pouvaient échapper à l'œil des sœurs qu'on croisait un peu partout. Un uniforme qui lui allait à ravir, osa lancer Jérôme au passage. C'était peut-être le premier compliment de sa vie. Ils étaient arrivés devant les remparts.

La tour du Connétable semblait un décor de théâtre. Ils fixèrent sans les voir les branches d'un saule pleureur qui frôlaient l'eau de la rivière. Il eut alors un geste inédit, écartant les cheveux bruns de la jeune fille, découvrant la conque de l'oreille, généreusement ourlée. Elle se tourna vers lui, souriante et lui saisit la main dont elle mordilla un doigt. Puis elle courut vers l'entrée des jardins de La Garenne. Il s'y précipita pour la suivre. La grande allée montait fortement jusqu'au mémorial du plateau central. Un parterre de fleurs vives l'enserrait. Elle le conduisit vers la gauche, près du mur d'enceinte derrière lequel on apercevait le haut des arbres du parc de la préfecture. Un bosquet de lauriers ménageait une étroite contre-allée, déserte, le long du mur.

Elle s'arrêta sous une plaque de marbre commémorant la fusillade d'un certain vicomte de Sombreuil, d'un monseigneur Hercé et de quelques autres émigrés qui, précisait l'inscription, saisis lors de leur débarquement à Quiberon, furent exécutés là l'an de grâce 1795.

Déjà elle s'était blottie dans ses bras : sans avoir

rien entrepris, il recueillait le gain de son application d'une heure. Elle entrouvrit ses lèvres et sa veste de drap bleu. A son ombre, mûrissaient deux éminences de laine rose. Il sentit qu'elle l'observait. Sans doute aurait-elle aimé qu'il l'instruisît. C'était lui faire grand crédit. Mais la curiosité charnelle lui prodiguait des conseils éloquents. Sa bouche pourprée, surmontée d'une buée blonde (elle avait couru tout à l'heure), avait cette chaleur nacrée des nourrissons. Il brûlait de toucher, de pétrir cette gorge en forme de lourdes pommes, cette chair partout souple et renflée, lisse et ronde. Il la serrait contre lui, incrustant bras et jambes. Des suçons légers cherchaient dans son cou la peau nue. Il embrassait une fille sur la bouche, pelotait au hasard. C'était la première fois. Il reprit souffle, réédita l'exploit. Une langue, des dents l'accueillirent, de nouveau le cherchèrent. Au fond c'était simple. Plus expérimentée, ce qui impliquait peu, elle tétait sa lèvre à petits coups. Puis elle se recula légèrement et resta un instant à observer sa main qui, à travers l'étoffe, lui pétrissait le sein. Elle posa sur lui deux yeux noirs humides, des puits où dormait l'innocence.

Pendant des jours, pendant des nuits d'éveil remplies d'élans qui mouillèrent ses draps, il craindrait de trop demander et ignorant ce qu'elle était prête à accepter, hésiterait au prix de lancinants regrets à cueillir tout à fait cette brassée de gentillesses un peu mièvres, cet essaim de caprices candides, d'audaces et de refus résignés qui caractérisaient à cette époque-là une jeune fille de quinze ans.

Il se contenterait de quelques caresses explora-
toires – mais comment faire autrement, quand le
cadre de leurs rencontres était un jardin public, un
bord de mer proche de la ville où il était impossible
de s'isoler aux heures de la journée?
L'élasticité des seins et surtout leur mollesse
l'étonnèrent. Il ne se lassait pas de le vérifier. Le
terrain conquis une fois n'avait plus à être disputé
et il gagnait à chaque rendez-vous un territoire nouveau. Mais les vacances, signe du départ d'Anne-
Odile, obligèrent à un armistice avant qu'il eût franchi la frontière décisive, la lisière de la ceinture.

Il n'y a que dans les romans que les femmes
tombent dans les bras de jeunes gens timides, que
des adolescentes sollicitent leur initiation de partenaires quasi inconnus, qu'il est si facile d'avoir affaire
d'amour sans les efforts d'approche – ces choses à
dire, insignifiantes, ces prétextes, sournoiseries,
pirouettes pour cacher le guet du prédateur attendant le bon moment de fondre sur la proie; tout
cela qu'il jugeait médiocre, et dont il percevait à ce
point le leurre qu'il ne se sentait pas la force de s'y
prêter. Il avait en horreur la drague, cette apparence
de cour amoureuse, cette distraction affectée du
résultat.

Sa vie durant, il persista dans cette attitude et
considéra l'activité sexuelle comme purement
ludique. C'était un moment agréable sans autre
nécessité que la complicité de l'autre. Les écrits de
Sade, quand ils lui tombèrent entre les mains, passant d'un cartable à l'autre, l'amusèrent beaucoup.
Le sadomasochisme lui restait une langue étrangère,

mais il se plut à démonter dans les « parties de filles » la mécanique des assemblages, cette construction de pyramide humaine. Ce fut le seul aspect qui l'y retint.

Il continuait de ressentir en présence de femmes et des jeunes filles un tel trouble qu'il se maudissait de son manque d'audace; mais en y prenant goût, ainsi qu'on développe un penchant pour la paresse. Car à demeurer témoin de lui-même plus qu'acteur, il tirait tout le suc d'une émotion, cela même qui, pour un autre moins sensible (ou moins « emprunté » comme on disait chez lui) serait demeuré stérile.

En même temps, la première pensée qui lui venait quand il rencontrait une fille qui lui plaisait (ce fut sans doute sa première réaction devant Katia) était une impulsion purement physique. Il aurait aimé l'emporter, l'étendre sur le premier espace venu. Là, avec lenteur, comme dans ses rêves, il l'aurait découverte, frissonnante; elle l'aurait appelé à se frotter à elle, sur elle, comme un grand savon tiède. Il serait venu contre sa peau, bientôt en elle, avec une douceur lancinante, une patiente et chaude attente de brutalités joyeuses qu'il pressentait sans vraiment les imaginer.

Mais cela, il ne l'avouerait jamais.

Vous ne pouvez deviner à quel point Katia était mêlée à sa vie. Ils découvrirent un jour qu'ils s'étaient « fréquentés » dès l'âge de sept ans, toute une journée d'été à la campagne. Il en reste une photo jaunie qui les montre dans un chemin creux, se tenant par la main à l'avant d'une procession joyeuse. Katia n'en avait aucune réminiscence, si ce n'est l'image d'une grande tablée bruyante au milieu d'un verger et le souvenir, devant elle, d'une assiette creuse emplie de ragoût fumant. Des bancs de bois, des nappes blanches sur une longueur immense de tréteaux dans un pré de pommiers en fleur.

Une nouvelle lettre de Jérôme rappelait cette journée-là, leurs jeux au soleil pendant que les adultes étaient encore à table. Il évoquait le doux frottement, contre les mollets nus, des fleurs rose passé du sainfoin, le velouté pourpre du trèfle incarnat et là-bas, derrière la ferme, dans l'espace interdit où, fautifs, ils s'étaient aventurés, les premières langues vertes du marais et la fausse dureté grenat et chaude des quenouilles tout en haut des roseaux.

Jérôme était le « cavalier » de Katia ce jour-là mais il n'avait rien gardé en mémoire de la gamine à son côté qui sourit, vaguement inquiète, dans une robe longue enguirlandée de rubans. On mariait la cousine Guenièvre, une parente de Katia. Le cliché, pris après la messe, montrait le chemin menant à la ferme de l'époux. Vers le pré où était dressée la table se pressait cette théorie d'hommes et de femmes réassortis – les couples ayant été redistribués pour la journée en paires nouvelles. On avait pris soin d'inviter autant de mâles qu'il y avait de filles dans la parentèle. C'est sans doute à ce souci que Jérôme devait d'être là. Le marié était un lointain cousin de l'épicier où le petit garçon venait chaque jour acheter deux litres de lait dans un bidon d'aluminium. Peut-être avait-il été recommandé pour parachever la symétrie du cortège ?

C'était un lieu-dit « Le Grand Verger ». Katia et Jérôme, quand ils découvrirent cette première rencontre, en reparlèrent autour d'eux. Ce jour-là, leur dit-on, il faisait un temps superbe. De cette qualité de bleu immodéré qu'on souhaite pour une fête ou (mais n'est-ce pas plus important ?) pour que vienne jouer au tennis la jeune fille blonde, de passage chaque été, en vacances dans cette campagne et que l'on sait ne jamais pouvoir ailleurs approcher.

A peine si une brise légère provoquait de perceptibles friselis dans les feuilles rondes des pommiers, telle une pulsation de l'arbre. Parfois un envol de pétales atterrissait sur la table. Une pluie d'ombres laiteuses tachetait alors les longues nappes ou les assiettes.

Deux jeunes filles du hameau voisin, Rosenn et Armelle – devenues à l'époque où les témoins en reparlaient aux deux jeunes gens de solides matrones pourvues d'enfants – achevaient de mettre en place les couverts. Méthodiques, sérieuses jusqu'à la componction. Qui les aurait vues au bal du dimanche soir en quelque salle des fêtes du canton où, à pied, elles se rendaient à travers champs (elles rentraient au milieu de la nuit quand l'accordéon avait expiré sa dernière plainte) n'aurait pas reconnu, dans les filles ardentes dont la danse collait à la peau les vêtements ni plus tard, dans les ombres haletantes occupées debout contre un arbre pour ne pas salir leur robe à de hâtives amours, les timides Bretonnes du plein jour.

Elles n'avaient pas terminé la disposition des couverts que déjà le trot lourd des chevaux se faisait entendre dans la côte, qui bientôt débouchaient dans l'axe du chemin. Encore un instant et ils furent dans la cour. La carriole ne s'était pas vidée de ses passagers que dans un ensemble étudié les chevaux débourraient avec entrain, emplissant l'air matinal d'une généreuse odeur de crottin. Les voitures automobiles qui suivaient lâchaient à leur tour leur plein de personnages endimanchés et le cortège se formait au milieu des bousculades et des plaisanteries.

Elle était loin, l'ordonnance laborieusement établie sur le parvis de l'église! Les couples éphémères se reformaient tant bien que mal. Des adolescents ravis serraient de près une cousine perdue de vue depuis la première enfance, ayant redécouvert le matin même, avec un ahurissement réjoui, dans un mètre soixante de chairs pleines et souples, la criarde gamine aux tresses aigres qu'ils avaient en mémoire. Le contre-jour rosissait les carnations florissantes que métamorphosaient déjà sous les visages d'enfance les levains de la jeune fille. Les vieux avaient de petits rires crachotants, des gestes hachés par une fébrilité perpétuelle, comme s'ils voulaient profiter plus vite, plus intensément, de ces derniers instants. Ils s'efforçaient à des grâces et donnaient avec une fierté outrée le bras à de fortes femmes entre trente et quarante ans, mères des jeunes gens présents et remuées jusqu'au creux du ventre par ce rituel et le souvenir de leurs propres noces.

Pourtant, comment imaginer sans effort, sous les mentons volontaires, le regard tout d'allant de la maturité satisfaite (elles qui tenaient, davantage que les titulaires officiels, la fonction de chefs de famille), les jeunes personnes balbutiantes de naguère?

Quand tout le monde se mit à table, alors que dans le silence relatif une nouvelle jonchée de pétales se répandait sur la nappe et sur les huîtres dont les assiettes étaient emplies, on entendit distinctement les sanglots de la mariée. Dans la douceur du plein soleil, Jérôme et Katia se regardèrent l'un l'autre sans comprendre, le cœur inquiet.

Katia avait parcouru ces pages si rêveusement qu'elle dut revenir en arrière. Elle avait prolongé la scène, sur l'élan donné par l'enchantement de sa lecture. Elle en était encore à rechercher, dans le décor d'une noce champêtre, une petite fille en robe d'organdi qui lui ressemblait.

En fait, c'est exactement cela qu'elle attendait de la littérature : l'écho d'un monde à l'intérieur du sien. Elle dévorait en temps ordinaire un grand nombre de romans. Devant un livre, elle était seule avec elle-même et ce grand désir d'intensité qu'elle aimait à bercer. Ici aussi, la phrase mélodieuse de Jérôme aurait suffi à sa joie. Mais il y avait plus : comme si le texte manuscrit recelait une promesse encore informulée qui allait se révéler. L'espoir de la cerner entraînait à poursuivre malgré les difficultés de déchiffrage de l'écriture, les retours en arrière, les fausses perspectives.

La lampe de chevet dispensait une clarté rose. Elle avança un genou, passa distraitement la main entre ses jambes, égara un instant ses doigts dans le buisson presque rond que cachait la lettre qu'elle tenait de l'autre main. Elle agaça du bout des ongles la racine des boucles couleur miel. Poursuivant sa lecture, ce qui l'aiguillonnait était moins le désir de connaître ce qui allait venir que de ressentir soudain, comme jamais, ce qui était – et qui se mettait alors à exister parfois avec une telle puissance qu'il lui fallait s'arrêter un instant, tant l'émotion l'oppressait, la menait au bord du vertige.

A certains moments, Katia s'effrayait de ses propres pensées. Jérôme s'efforçait depuis trois jours de lui faire revivre les émois de ses quinze ans mais jamais, dans ses conversations avec elle, il n'avait fait la moindre allusion à l'univers de ses lettres? Quel jeu étrange! Et quel but poursuivait-il Se ferait-il brusquement plus pressant? Difficile de prévoir quelle serait sa réaction. D'ailleurs, quels sentiments lui portait-elle? – Plutôt ambigus... S'appliquaient-ils seulement à la personne qu'elle avait aujourd'hui en face d'elle, ou à l'adolescent retrouvé dans l'image rafraîchie de leur jeunesse? A quoi était-elle prête? Elle joua un moment avec les réponses possibles, impossibles. Certaines étaient douces et excitantes à envisager. Après tout, ce pouvait n'être qu'un intermède. Encore qu'on n'en sorte jamais indemne. Quand l'exaltation se dissipait, elle s'accusait de s'exposer à des actes (elle aurait pu dire un acte car c'est à un acte précis qu'elle pensait) qu'il lui serait de plus en plus pénible de refuser à mesure que croissait leur intimité nouvelle. Depuis qu'elle avait retrouvé Jérôme, ne cheminait-elle pas à chaque page de ses lettres dans cette direction? Cependant il était peut-être tout aussi satisfaisant de s'en représenter l'idée que de l'accomplir, avec le cortège inévitable de menus désagréments qui suivrait. Elle aurait aimé maintenant refermer sur elle le grand manteau de la rêverie et demeurer ainsi à jamais.

Elle ne pouvait cependant s'empêcher d'être reconnaissante à Jérôme de cette remontée des souvenirs. Ce voyage d'hiver dans la mémoire ne lui rendait pas seulement ce qu'elle croyait avoir oublié, mais aussi ce qui avait disparu sans qu'elle en eût jamais saisi l'importance. Oui, même les matinées vides, les après-midi d'indicible ennui qu'elle avait vécus, lui paraissaient avec le temps aussi riches que les heures d'activité la plus folle; l'odeur de la bruine sur les feuilles de l'automne était devenue aussi enivrante aujourd'hui que l'attente des premières surprises-parties.

Au fond, sans se l'avouer, elle était mûre pour se laisser emporter, même si elle croyait à cet instant son irrésolution totale. Mais que faire, que dire? Et quand dimanche débarquerait son mari? Était-il un refuge? Une prison? Avait-elle le droit (à ce dernier mot, elle eut un sourire, songeant aux délices procédurières du magistrat) de s'offrir un moment de plaisir, oubliant le reste? Aurait-elle la force morale, bien masculine se dit-elle, de pratiquer un entracte puis de reprendre le cours de la pièce? Elle l'ignorait.

Insensiblement, dans son esprit, une autre pensée faisait son chemin. Ce qu'elle envisageait – ce qu'elle voyait venir, si l'on préfère – n'était pas une libération mais un accomplissement. Ce n'était pas une folie mais une conclusion. De retour après une longue absence, le bonheur est une idée triste. Ce n'est plus à un feu d'artifice qu'il nous convie, mais à une fête étrange sur l'air de la mélancolie.

Vous êtes encore trop jeune, Sophie. Un jour vous comprendrez qu'on peut se refuser un plaisir mais qu'on accueille sans remords (parce que le temps innocente tout), les exigences de la nostalgie.

Quand Jérôme conversait avec Katia, il ne paraissait pas chercher à faire avancer de façon décisive leur intimité. Elle n'était pourtant pas dupe. Peut-être aurait-elle préféré l'être. S'il avait eu l'esprit plus grossier, il serait allé au plus court pour un résultat identique. Un peu de sans-gêne économise de longs discours. Ainsi, au bal du samedi soir, un

seul slow faisait gagner deux heures de cour assidue.
Mais Jérôme avait le respect de l'autre. On ne saurait
dire qu'il y gagnait vraiment.

Son respect avait cependant des éclipses. Il avait
confié à Katia la veille que la sensibilité extrême
aux choses de la vie conduisait forcément à jouer les
voyeurs. Il s'amusa à distinguer les voyeurs de hasard,
les « voyeurs sans bagage », disait-il en riant, des
voyeurs tout court, gris et sinistres, qui assouvis-
saient là un besoin. Il avoua qu'un jour, il s'était
trouvé à la limite de passer publiquement pour un
vicieux de la pire espèce. Le long d'une haie proche
d'un camping, il avait failli être surpris à observer
des enfants, avec un intérêt équivoque.

On entendait hoqueter sous les tentes les transis-
tors. A l'écart, deux fillettes et un garçon d'une
dizaine d'années étaient assis au pied d'un chêne. A
un moment, une fillette se leva, saisit le bas de sa
robe légère qu'elle retroussa jusqu'à coincer l'ourlet
sous le menton. Puis avec des gestes appliqués mais
rendus malhabiles par le soin mis à maintenir le
pan d'étoffe, elle fit descendre du bout des doigts,
avec une grimace de concentration, sa minuscule
culotte à fleurs. Alors, face à l'unique garçon, elle
bomba son ventre blanc. Fasciné, il observait, sans
bouger, le pli innocent du sexe, rosé à peine, sous
la joue renflée du pubis. La fillette remuait une
jambe puis l'autre comme si une démangeaison l'eût
saisie ou que ce regard insistant l'eût frôlée, là,
physiquement. Le garçon, satisfait, faisait un signe
qui pouvait s'interpréter à distance (derrière la haie,
Jérôme, immobile, ne perdait rien de la scène) par :

« C'est bien! » ou « C'est assez! ». Puis il se releva, parut dire non de la tête à ce que lui réclamaient les deux filles. Alors, la seconde, allongée dans l'herbe, ouvrit les genoux et écarta des doigts le mince tissu qui la couvrait. Rien n'y fit. Il s'éloigna de quelques pas. Rajustées, elles le rattrapèrent.

Un vacancier, de retour de la plage, arrivait sur Jérôme. A quelques secondes près, il l'aurait découvert à contempler deux fillettes demi nues. Jérôme avait vécu cette scène au même âge que les actuels protagonistes. Son émotion venait de retrouver les gestes, en une séquence presque exactement issue de son passé. A quelques détails près, c'était bien deux fillettes (l'une plus dégourdie, plus vite décidée que l'autre) et la même promesse (qu'il n'avait pas tenue) de leur rendre la pareille. Il s'agissait d'Aline et d'Élisabeth dont les yeux violets l'avaient regardé fixement pendant que plus bas leurs mains s'activaient à mettre le ventre à nu. Il avait observé les sexes, petits plis doublés de fossettes. Il n'avait pas osé y toucher.

Pour rompre la gêne, il avait saisi le bidon de métal qu'elles ramenaient de la ferme proche et avait lentement versé un peu de lait au bas du ventre de chacune. Il soutenait, tremblant, le récipient jusqu'à toucher la vulve qui semblait déborder de la crème épaisse, préfigurant sans qu'ils pussent le deviner, la consistance et la couleur du sperme qui l'abreuverait bien des années plus tard et qu'elles ne sauraient sans doute pas reconnaître comme la suite, l'achèvement de ce qui s'était passé là, pendant qu'ils frissonnaient croyaient-ils de froid, à la fin d'une journée d'été, riches d'une innocence infinie.

A Sils-Maria les jours passaient. Vous étiez, Sophie, toute la journée aux mains de monitrices et vous ne savez rien de plus de cette semaine-là.

Le jeudi soir, Katia accepta d'accompagner Jérôme dans une discothèque. L'endroit valait le déplacement, prétendait-il, et était tenu par un Chinois de Kuala Lumpur qu'il avait rencontré à Manille, dans un restaurant.

Jérôme poussa la porte du *Corvatch-Club-Discotek*. Une bouffée d'air chaud les saisit. Vite, ils se débarrassèrent de leurs manteaux. Le bruit comme celui d'immenses cœurs, amplifié, les enveloppa. Le temps que les yeux se fussent habitués à la pénombre et l'on découvrait la profondeur de cet espace clos. En fait, plusieurs salles s'ouvraient, à deux niveaux, sur la piste centrale où se déhanchaient une vingtaine de danseurs.

— Ce n'est pas la bonne heure, précisait Jérôme. Tu verrais la foule, après minuit!

— Parce que tu y passes la nuit? cria-t-elle pour

se faire entendre par-dessus la musique assourdis-
sante.

— Cela m'est arrivé...

Évitant la piste, il la dirigeait vers le fond. Des
sortes de stalles s'ouvraient à la périphérie du hall
dont elles étaient séparées par une cloison de verre
coulissante. Il y faisait bon, à l'abri de l'atmosphère
tonitruante du local.

À peine se furent-ils assis qu'une serveuse surgit
silencieusement et s'inclina devant eux. Blonde, les
cheveux courts, les yeux rieurs, la bouche fraîche et
sans fard, on l'aurait prise pour une élève en rupture
de lycée. À une exception près : la jupe couleur de
nuit qu'elle portait était fendue largement sur les
cuisses, jusqu'aux reins.

— Deux chocolats, Liselotte, commanda Jérôme.

— Tu la connais?

Il eut un geste des deux mains écartées comme
pour une offrande. Il souriait. Elle devina sa pensée :
« Serait-elle jalouse? » et s'en voulut de lui donner
cette occasion de découvrir sa faiblesse.

Liselotte était déjà de retour, disposant sur la table
deux tasses fumantes. Quand elle se pencha, la jupe
s'ouvrit si généreusement qu'ils lui virent les
hanches.

— Coquin, non? susurra-t-il.

— C'est pour cela que tu m'as fait venir?

— Non. Je voulais te parler.

— Ah? Tu n'écris donc plus?

— Si. Mais on peut parler aussi...

— Sûr! On peut. Nous sommes doués de la parole,
nous autres humains.

Une sourde animosité l'emplissait.

Elle ne parvenait pas à décider si le comportement de son compagnon était en cause ou si de plus profonds motifs l'expliquaient. Elle ne savait plus ce qu'elle souhaitait sinon qu'il quittât ce ton de badinage pour renouer la conversation (le monologue?) entrepris le jour de son arrivée.

Il faisait doux. Les lumières tamisées, le bruit de fond de la musique dont la vitre les protégeait si efficacement qu'il n'en parvenait qu'un écho lointain et comme nostalgique – tel l'orchestre d'une fête à distance –, tout concourait à favoriser la confidence. Elle porta la tasse à ses lèvres, huma l'arôme du chocolat, épais et tiède comme une chair.

Liselotte, réapparue pour leur verser une nouvelle rasade du liquide fumant, avait déposé sur la table la chocolatière. Ses cuisses étaient gainées d'un collant couleur argent qui avait dans l'ouverture bâillante de la jupe des reflets de poudre neigeuse. Jérôme buvait à petites gorgées.

– Pendant des années, commença-t-il, j'ai éprouvé la honte. Honte de ce que j'étais, honte de ma condition. Je tenais rigueur à mes parents de n'être pas plus riches, plus cultivés, plus élégants. Ce qu'on me présenterait souvent comme une chance exceptionnelle, ma réussite scolaire, était source aussi de frustrations. Mon éducation, toute d'apprentissage, avait creusé un écart entre eux et moi, sans qu'au début rien ne trahît cet inexorable éloignement. Entre mes aspirations – mes goûts se dessinaient – et l'ordinaire de mes parents – qui suffisait à leur bonheur –, il y aurait vite un gouffre. Par cette évolution où

je m'étais complu, j'étais devenu malgré moi un total
étranger à ce que j'étais, à cela dont j'étais issu et
à quoi j'appartenais encore par certains côtés. La
métamorphose avait été insidieuse, mais une fois
accomplie, il était impossible de revenir à l'état
ancien. Je me retrouvai seul, sans personne à qui
demander conseil, sans référence aucune sinon les
règles de ce nouveau code que je n'avais pas eu le
temps d'assimiler.

» Pourtant, très tôt, je m'étais rendu compte qu'à
beaucoup d'égards j'appartenais toujours au clan ori-
ginel alors même que je le repoussais. Et quand
j'aurais voulu le nier, il suffisait d'un rien, d'un mot,
d'une attitude, d'un manquement, dont j'apprenais
dans la confusion qu'ils contrevenaient aux usages,
pour me sentir marqué par mon ignorance native
du savoir-vivre en société, et je désespérais de jamais
m'y sentir à l'aise.

Il se leva, observa les couples qui se pressaient
sur la piste. Plusieurs filles, moulées dans des pantalons collants et de fins chandails, dansaient entre
elles, s'effleurant mutuellement des hanches. Leur
beauté languide émouvait. Jérôme se tut un moment,
appuyé de l'épaule contre le mur. Puis sans se retour-
ner, il recommença de parler :

– Un soir de juillet, je devais accompagner mes
sœurs et mon père à la clinique où ma mère était
hospitalisée pour une intervention bénigne. Au
moment de partir, je t'ai aperçue par la fenêtre. Tu
étais sur le trottoir d'en face en conversation avec
deux camarades, juste à l'angle de la rue qu'il nous
fallait emprunter. Je me suis effrayé à l'idée de pas-

ser devant toi en compagnie de mon père qui poussait son vieux vélo et portait sa casquette bleue des PTT dont il avait ôté les lettres couleur argent; une casquette flambant neuve qu'il venait de « toucher ». L'ancienne servait encore pour le travail, la dernière attribuée était promue au rang de tenue de sortie.

» Sous prétexte de devoirs à terminer, mais avec mauvaise conscience, j'ai annoncé que je restais à la maison, observant de derrière le volet mon père et mes sœurs qui s'engageaient dans la rue Richemont que je m'étais interdite. J'ai alors cru entendre de loin ton rire et, en écho, celui des garçons. M'aviez-vous aperçu derrière mon abri? Étiez-vous tournés vers moi, vous esclaffant? J'aurais voulu fuir et je restais enchaîné à ce volet de bois triste dont la peinture grise s'écaillait en éclats coupants qui m'entraient sous les ongles. Combien de temps a duré ce manège? Je ne sais. Il me semble que j'ai attendu que vous ayez quitté la place.

» La scène m'avait rempli d'amertume. Pourquoi avais-je honte de me montrer en compagnie de mon père, parce qu'il était flanqué de cette bicyclette? C'est sur celle-ci qu'il déposait chez toi le courrier. Ma situation de famille était, je suppose, connue de toi. Je pense que tu t'en souciais fort peu.

» J'étais la proie de sentiments mêlés. Cette même bicyclette me rappelait aussi des bonheurs intenses quand j'allais, les soirs d'été, au jardin de la rue de Kérosen. J'avais sept ou huit ans. Je m'asseyais à l'avant sur le porte-bagages, tournant le dos à la route, ou sur le cadre, entre les bras de mon père qui s'essoufflait dans la montée de la rue Pasteur.

Nous partions juste après le dîner. Nous rentrions aux ombres de la nuit. J'adorais l'odeur de la terre d'été sous la pluie de l'arrosoir, le bruit (comme un soupir de satisfaction) du sol buvant l'ondée de la fraîcheur, les petites échappées de l'eau qui roulait comme des perles dans la poussière, puis, immobiles, hésitaient trop longtemps : elles étaient englouties brusquement dans l'épaisseur de l'humus, laissant en surface leur fantôme sombre. J'y trouvais une joie mystérieuse.

» Des années plus tard, il suffirait du bruit de la pluie déglutie par une gouttière pour que je reconnaisse le son caractéristique du sursaut de l'eau ramenée dans l'arrosoir par le geste économe du jardinier, tandis que coule le trop-plein en un gros filet d'argent au bas de la pomme. Ce bruit pour moi est lié à l'odeur des crépuscules de juillet, aux œillets entêtants rapportés dans la musette de toile, aux dahlias somptueux, larges et plombés, à la crête d'un rouge sombre, celui d'une chair ouverte, d'un rouge qui se fige.

» Certains arômes, notamment celui des légumes, pommes de terre, betteraves, me paraissaient étonnamment proches de l'odeur d'encre fraîche dont je m'émouvais devant des livres neufs. L'odeur du papier imprimé avait sa pleine saison à l'automne. La fin des grandes vacances se marquait déjà de l'âcreté de la craie et de cette aigreur propre aux salles de classe. Mes parents jugeaient de l'importance de mes études, comme de la gravité d'une maladie, à l'élévation des dépenses. Malgré la modestie des ressources familiales, ils considéraient le

renouvellement complet de mes manuels comme le
prix à payer pour me permettre de changer régulièrement de classe. De même il allait de soi que les
ouvrages fussent acquis à l'état neuf. Ils seraient
plus aisés à revendre l'année suivante, mais surtout
l'aspect inviolé des volumes correspondait au respect
qu'ils devaient inspirer. Comme si la culture (mot
qu'ils n'employaient jamais, disant de quelqu'un qui
avait du savoir ou simplement, ceci leur paraissant
traduire cela, qui parlait avec aisance, qu'il était
« intelligent »), passant du papier à l'esprit qui déchif-
frait le manuel, s'évaporait à la première lecture.
Leur prodigalité s'arrêtait là. Les ustensiles divers
des écoliers leur semblaient au contraire soumis à
trop de fantaisie pour être indispensables. L'ardoise
devait faire l'année entière sinon davantage et, fût-
elle brisée, il me fallait l'utiliser en morceaux jusqu'aux grandes vacances.

» Quand j'entrai en dixième, mon père passa un
week-end à ramasser du petit bois et à en écorcer
les brindilles, les taillant puis les mettant en paquets
de dix, tenus par du latex (le même qui servait aux
ceintures des slips) afin de fournir les bûchettes que
réclamait l'instituteur. Leur forme tourmentée ne
faciliterait pas toujours mes calculs et leur remise
en place était des plus malaisée, comparée aux bâton-
nets multicolores et réguliers comme une règle
qu'employaient mes camarades. Pourtant mes
bûchettes possédaient quelque chose d'émouvant :
leur nudité blafarde, leur surface exsudante, leur
maigreur torse et surtout les traces des petits nœuds
du bois, grattés, traduisaient les soins apportés à les

confectionner. Il y avait en eux une sorte de candeur, un respect profond envers les instruments de travail. » Dès l'achat des livres, mon père procédait au rite de leur recouvrement. Il y avait le grand déballage sur la table de la cuisine, sous la protection d'un journal. J'avais humé les titres, les couleurs (bleu sur bleu des livres d'anglais, brun sur gris des grammaires françaises, plus tard rouge sur gris perle des livres de latin, grenat sur brun des textes grecs, vert et noir de l'histoire, etc.), et j'observais le grand cérémonial dont j'étais cause avec un ravissement mêlé d'effroi. Mon père posait chaque manuel sur le papier beige (papier d'emballage dont seule une face était couchée, brillante et lisse), repliant celui-ci plusieurs fois dans les angles, au dos, soignant les coins, la tranche, les rabats, savamment. L'usage de l'adhésif était inconnu à la maison. Les couvertures ne tenaient que par la perfection de leurs plis.

Le bruit que produisit Katia en reposant sur la table la chocolatière, après avoir rempli sa tasse, sembla le signal que Jérôme attendait pour se rasseoir. Il ne suspendit pas pour autant son récit.

— Ayant terminé d'empiler les ouvrages dans leur nouvel habit brun, mon père reprenait un volume après l'autre et, au crayon à bille, il traçait sur le papier d'emballage le titre du manuel. Grandes lettres à l'anglaise, dont les pleins étaient hachurés à petits traits parallèles, aux boucles ornementales et aux fins traits de liaison. Puis il écrivait en haut à gauche mon nom suivi de mon prénom, selon les habitudes administratives. Enfin en bas à droite, la classe, parfois en chiffres romains comme les allées du cimetière. Je demeurais tout ce temps près de lui, silencieux. Le dernier coup de crayon donné, il poussait vers moi la pile de livres. Il attendait le « merci », « merci, qui ? », « merci, papa » et prononçait une phrase bien sentie sur le travail à accomplir maintenant que je possédais mes outils. Je me jurais intérieurement d'en faire bon usage, d'apprendre régulièrement mes leçons, toutes excellentes résolutions qui survivraient quelques semaines à la rentrée.

On jouait maintenant des slows. De petits projecteurs de « poursuite » balayaient la piste à hauteur des danseurs. Un éclat de lumière rasante joua dans les cheveux bruns de Jérôme. Katia ne quittait pas des yeux la bouche maintenant close, aux lèvres ourlées par la lueur orangée des lampes basses. Une trace de salive par moments y brillait, comme une écaille de mica.

Quand il l'invita à rejoindre les couples, elle le suivit de l'autre côté de la cloison de verre.

C'est à ce moment-là que les choses s'accelérèrent. Le lendemain, Katia aperçut Jérôme en compagnie de deux très jeunes filles. Ce n'était pas la première fois qu'elle les rencontrait mais, précédemment, Jérôme avait toujours abandonné ses compagnes pour la rejoindre, comme si elle passait avant quiconque. Cette fois, au contraire, il outra manifestement à sa vue l'intimité qu'il pouvait y avoir entre elles et lui. Elle se sentit injuriée, méprisée, et s'effraya de cette réaction qu'elle tint secrète mais qui trahissait un

trouble profond. Si quelqu'un lui avait parlé de
jalousie, elle aurait éclaté de rire. Ce pincement
n'était qu'une manifestation d'amour-propre, se
disait-elle. Cela provenait de cette relation ambiguë
qu'ils entretenaient depuis quatre jours. Quatre jours
venant après tant d'années.

Elle n'en avait d'ailleurs aucun remords. Les souvenirs qu'ils remuaient ensemble, maintenant qu'ils
en parlaient tous deux, lui permettaient de jouer un
rôle moins passif. Elle avait conscience que le recou-
pement de leurs mémoires respectives ne serait pas
sans conséquences. Elle en connaissait les risques.
Et les plaisirs. Au demeurant, s'émerveiller de bonheurs reconnus n'avait rien de stérile. Même si –
mais elle n'envisageait pas vraiment cette éventualité – par la suite on oublie de nouveau.

Pourtant, il en va souvent ici comme de ces lieux
traversés en chemin de fer, villages endormis où l'on
a juste le temps de capter la vision d'une famille
attablée sous la lampe : l'envie brusque vous prend
de revenir là contre cette fenêtre, dans cette rue
paisible où le reste de lumière paraît enrichi de
toutes les fatigues de la journée, de ces bonnes fatigues
dues au sentiment des devoirs accomplis. Vous vous
promettez : « Je repasserai par là. » Pourtant vous
n'avez eu ni le réflexe ni même la volonté en vérité
d'identifier l'endroit, sachant déjà que vous n'y
reviendrez jamais. Mais la seule idée d'en former le
projet vous remplit de béatitude.

Katia comprenait que des jeunes filles fussent sen-
sibles au charme de Jérôme, fait de gaucherie et de
retenue, assumées aujourd'hui alors qu'elles l'inhi-

baient hier. Qu'il se complût avec des fruits vert, au lieu de ces femmes épanouies qui peuplaient le village ne l'étonnait pas non plus. Au fond, elle ne se sentait pas si loin d'elles et, à travers leur beauté nonchalante, Jérôme poursuivait peut-être le même songe : celui de leurs quinze ans. Elle écoutait, trop souvent sans doute, la jeune fille qui était toujours si intensément vivante sous l'apparence de la femme que lui renvoyait son miroir.

La version de Jérôme et celle de la presse locale, après « l'affaire », divergent : selon le journaliste anonyme de *« La feuille de Lausanne »*, les voisins de chambre de Jérôme — entendus par la police à titre de témoins — affirment qu'il a passé avec Katia pratiquement toutes les nuits de la semaine; à tel point que leur accord amoureux les avait plus d'une fois tenus éveillés. « Le couple », comme ils disaient, avait été vu dans le couloir de l'étage tard le soir, tôt le matin. J'ai tout lieu d'en douter. Je n'exclus pas que Jérôme ait pu avoir une amie certaines nuits, encore que cela soit peu vraisemblable : il passait toutes ses soirées avec votre mère. En tout cas, les détails qu'il m'a confiés de ce séjour à la neige ne confirment pas du tout l'hypothèse qu'il ait fait l'amour avec Katia dès leurs retrouvailles. Pourquoi alors eut-il mis en œuvre cette entreprise de séduction, ces lettres-fleuves de chaque soir, etc. Je m'appuie de plus sur une confidence de votre mère : elle m'a écrit le vendredi, deux jours avant le drame.

J'ai reçu ces nouvelles le lundi; j'ignorais évidemment tout. Cette lettre la voici. Je l'avais gardée précieusement. Vous la lirez.

N'y voyez pas d'impudeur de la part de votre mère. N'oubliez pas que j'étais pour elle plus qu'un ami, un confident. Ce qu'elle dit de Jérôme et surtout le ton dont elle en parle montrent que rien ne s'était produit entre eux à l'heure où furent tracées ces lignes. Le trouble qu'elle évoque lui remet en mémoire un souvenir lointain, et quand on sait les événements imminents qui allaient suivre, cette réminiscence a tout d'une prémonition, d'une intuition du malheur. C'était le pressentiment du sang. Car rien n'explique que cette histoire lui soit revenue à l'esprit juste en cet instant.

» Bien avant qu'il fasse jour, je me plais à contempler la lumière de l'étable sous ma fenêtre, au bout du champ en forte pente qui jouxte l'hôtel. J'y aperçois une ombre qui s'affaire : la fermière trait ses vaches; je devine la chaleur des bêtes, les bruits calmes, et ce volume d'air à l'abri sous les voûtes, cette atmosphère reposante des sous-bois. Comme je me sens loin de tout cela! J'étais venue ici pour chercher le repos, si tu savais combien je me sens perturbée. En un mot : j'ai retrouvé Jérôme. C'est une impression délicieuse : voilà bientôt huit jours que j'ai de nouveau quinze ans. Mais je sais déjà que cela durera bien moins encore que la première fois. J'ai peur, vois-tu, j'ai peur : de ce que je retrouve en moi et que je croyais mort, de ce que je vois en

lui et qui est neuf : une capacité de ruse. Il cherche
à m'émouvoir, à me séduire, je retarde le mot sous
ma plume : il cherche à coucher avec moi. Et alors ?
diras-tu. Je suis libre, n'est-ce pas, libre de refuser !
A toi je puis l'avouer, je ne suis pas si sûre d'en
avoir envie... de résister, j'entends. Il me dépose
chaque soir une lettre sous ma porte. Il prétend
y raconter notre vie au temps du lycée. Je m'en-
chante, je revis; et pourtant je crains par instants
de n'être que la victime d'un jeu. Plus les pages
s'accumulent, moins je parviens à démêler le vrai
du faux. Je suis en plein mensonge... et je suis
heureuse. S'il entrait à l'instant dans cette chambre,
je lui ouvrirais grand les bras. Tu vas me juger
folle. Je ne peux confier ceci à personne d'autre,
je me sens alanguie, nonchalante, affaiblie, je voudrais qu'il me brusque et la seconde d'après je ne
voudrais pas. Non, je ne l'aime pas, c'est pire; je
me sens régner auprès de lui et j'aimerais qu'il
m'adore comme il y a quinze ans, qu'il me désire
(ce qui doit être le cas) mais sans conclure; je
voudrais en rester aux préliminaires des jours et
des jours, qu'il me caresse des heures sans me faire
l'amour.

» Actuellement un rien me met en transes, le
moelleux d'une laine, les baisers butineurs de Sophie,
le frôlement des moniteurs, une innocente rengaine
à la radio.

» Je n'arrive plus à m'endormir. Je veille, allongée, une partie de la nuit, j'ai trop chaud, je retire
ma chemise, je me contemple dans la glace à la
lueur du lampadaire de la rue, je me...

» Je me demande pourquoi je te dis tout cela et même pourquoi cela me fait plaisir de t'en parler.

» Tu vois, c'est aujourd'hui seulement que je comprends Nicole, la nounou de ma jeunesse, qui les jours de l'argenterie, une fois par trimestre, où nous étions seules dans l'ombre sous le lustre de la salle à manger, me faisait les mêmes confidences troubles. Elle alla jusqu'à des aveux complets, inattendus, l'année de mes treize ans. Cet après-midi-là, j'avais, il est vrai, sollicité sa confession. Jamais l'intimité entre nous n'avait été si grande. Je frottais d'un chiffon de laine les couverts qu'on ne sortait qu'aux grandes occasions quand, brusquement, j'eus l'intuition au-dessus de mon âge que le caractère passif, pusillanime, " esclave " disaient quelquefois mes parents, de notre Nicole s'était enraciné dans un secret profond que ne laissaient en rien supposer ses apparences de jeune femme effacée et timide.

» Le premier matin de cette année 1944 où elle choisit de satisfaire sa curiosité, Nicole ne se doutait pas de ce qui allait se dérouler sous ses yeux. L'eût-elle pressenti qu'elle n'aurait jamais quitté sa chambre. Mais c'était trop tard. Par la suite, elle ne parvint plus à se soustraire à l'impérieux besoin de savoir qui la conduisait là, malgré sa répugnance instinctive. Oh! cette première aube dans la cabane à outils du jardin, ces cris qui, des mois plus tard, la poursuivraient dans son sommeil et auxquels elle ne pourrait plus échapper désormais.

» Elle sortait au petit matin, elle n'aurait su exprimer pourquoi; luttant contre l'affreuse panique qui la gagnait; mais inconsciemment, elle savait remplir

un devoir, celui d'être témoin du carnage, des crimes
renouvelés qui se perpétraient dans la clarté jaune
et rose de l'aurore, à quelques mètres d'elle, spec-
tatrice unique – chacun dans le village se terrait au
fond de son lit, fermant les yeux encore plus fort,
s'obstruant les oreilles comme des enfants la nuit
effrayés par l'orage se recroquevillent sous les couvertures, perdant souffle. Peut-être était-ce malgré
tout de " ça " dont parlaient les vieilles du bourg, à
voix basse, dans l'angle des boutiques.

» Entre deux lames de bois disjointes, Nicole aper-
cevaient les corps : des hommes jeunes souvent, éten-
dus dans la boue, déjà exsangues. Ils avaient la couleur uniforme de la terre à l'exception de deux taches
blafardes : le cou et l'intérieur des mains. Leur sang
fréquemment jaillissait et marbrait le sol de l'ar-
rière-cour d'une teinte sale, vaguement grenat, qui
se juxtaposait aux traces de la veille comme sur les
tables des bistrots les cercles séchés, sécants, des
verres débordants. L'odeur du sang – qu'elle imaginait sans doute –, simple odeur à l'aube de la terre
mouillée, lui causait un dégoût qui la saisirait plus
tard dans sa chambre malgré les murs, les volets
clos, les rideaux tirés. Elle ne pouvait plus entendre
une détonation, le claquement sec d'un fouet ou
d'une porte sans avoir, immédiat, un haut-le-cœur
incoercible. Elle revenait toutefois, bravant le risque
d'être repérée alors qu'elle se glissait dans l'allée du
potager pendant qu'ils passaient encore là-bas le portail de la cour. Il aurait suffi qu'un des soudards,
pressé par une envie de pisser, poussât la porte de
la cabane – comme si de pisser réclamait plus de

discrétion que l'assassinat – pour que, débusquée, elle fût à son tour éployée sur la boue dans un tonnerre de rudesses, et bientôt couverte du même sang mêlé de terre qui gantait les doigts raidis d'une dentelle sombre, écaillée.

» Rien ne la retenait, elle s'exposait parce qu'elle devait absolument savoir avant les autres, avant ceux qui lisaient dans la journée les noms assassinés des " terroristes " sur les affiches; savoir la première, ah! surtout savoir avant quiconque au monde, que son père disparu – on le disait dans un maquis – n'y figurerait pas. Pour son âme d'adolescente, sa présence en ce lieu, les risques qu'elle bravait étaient une sorte de gage offert au sort pour qu'il fût épargné.

» Elle comptait les jours, calculait les intervalles entre deux exécutions, s'émerveillant d'une nuit, de deux nuits gagnées, dans ce bonheur fragile, menacé, qui s'intensifie de chaque seconde bue. Quand les atrocités reprenaient, elle revenait vaillamment à son poste de veille. Il y eut une accalmie de deux semaines. Ce fut une quiétude de grandes vacances. Puis un jour, de nouveau, un être disloqué, après ce sursaut de tout le corps produit par la surprise que donne la mort de l'acier, roula à ses pieds, se vidant d'une existence encore rouge et chaude qui fumait dans la lumière rasante. Il lui fallut un temps avant de reconnaître l'aspect du visage tant de nuits sans sommeil redouté, tant de jours refusé à en hurler d'horreur. Ces traits où sous le rictus figé de la douleur elle retrouvait sa propre image, cette tête d'homme ornée de cheveux rares qu'elle avait tant de fois agrippée des deux mains pour l'attirer sur elle, tant de fois serrée, cramponnée jusqu'à la fatiguer, l'user par jeu ou inquiétude, à qui elle murmurait, confessait, à ce père, son père, une vétille, un bouleversement de son monde enfantin.

» De cette heure où elle reprit ses esprits sur le sol de la cabane, la joue contre un sarcloir rouillé, le nez dans l'évasure d'un arrosoir, jamais elle ne refit un pas au jardin. Elle demeura enfermée dans sa chambre, se nourrissant des quelques navets, blettes ou rutabagas que sa mère déposait sur le palier. Et elle attendait, porte verrouillée, que le bruit léger s'éloignât, qu'il résonnât dans l'escalier pour entrouvrir l'huis et s'emparer de ces mets insipides qu'elle dévorait avec frénésie. Puis, close à double tour, elle passait le reste de la journée à refluer lentement en elle-même.

» Elle effaçait tout ce qui lui était extérieur. Elle gisait renversée, le visage offert au plafond étoilé de fines crevasses qu'elle observait avec une fixité étrange, maladive, comme si quelque chose s'y cachait qu'elle pourrait, à force, découvrir. Les fendillements du plâtre dessinaient une géographie compliquée d'où surgissait un profil barbare, au long nez busqué, surplombant une bouche torve en saillie sur le menton fuyant, un cou démesuré, rappelant les caricatures dont s'habillaient les murs, affiches noires et vertes. Les yeux rivés à la surface blanche, un effroi la prenait soudain. Elle se sentait projetée, emportée au travers d'une immensité de plafonds, de plus en plus vite, jusqu'au choc final. Qui ne se produisait pas.

» Le vertige cessait aussi brutalement qu'il était venu. Alors, on l'entendait rire en saccades nerveuses.

» Elle somnolait quelques minutes. Puis elle se répandait, demi-nue, sur l'édredon en balle d'avoine qui crissait comme des herbes. Durcie, elle restait longtemps, tendue de tous ses muscles, jusqu'à la venue d'insectes invisibles qui frappaient l'air au ras de ses tempes. Elle se livrait toute à la chaleur qui pressait son corps, chaque parcelle de sa peau. Elle ouvrait, refermait, confondait ses jambes, pour fortifier la germination vive d'une amande qui se plantait là, s'enkystait. Son ventre tremblait, secoué de frissons, sa nuque s'étirait. Avec des mouvements de chenille, elle glissait hors de sa chemise et, nue, creusait de ses doigts la faille de ses reins, avec dans la bouche comme une saveur de gros sel. Elle lançait vers le ciel ses genoux. Cinq à six fois par jour, par nuit, ayant perdu la notion du temps. Employant tout ce qui était à portée, le fruit trouvé devant la porte, le premier depuis un an, cadeau rare qu'elle mangea ensuite, gonflé d'odeurs chaudes; cinq ou six fois avec ce qu'il lui venait, le fer à friser, le coin de l'oreiller. Entretemps prostrée, demiconsciente, attendant que se renouent ses forces, s'allègent ses poignets ankylosés. Parfois, si le courant n'était pas coupé, elle branchait un petit radiateur électrique et s'accroupissait devant, fixant la colonne rougeoyante qui grésillait à cause des poussières sur le filament incandescent. Il s'en dégageait une odeur poivrée qu'elle aimait. L'intérieur de ses cuisses et son ventre secret s'offraient de longs instants à la

brûlure dans la lueur vive du radiateur. Jusqu'à
l'intolérable. Sur le pli ensanglanté (impression causée par sa tumescence et les reflets du métal porté
au rouge), la douleur la contraignait brusquement
au recul. Une fraîcheur intense alors saisissait l'intérieur de ses jambes, le centre d'elle, une sensation
glaciale sur la double crête palpitante qu'elle observait dans le petit miroir à main et qui ressemblait
au dos des grands tritons qu'enfant elle capturait
dans la mare. Plus tard encore, déroulée toute, elle
vibrait de tout son être sous l'effet de cette détente
minuscule et impérieuse qui roulait comme une bille
sous son doigt. Elle mourait, s'éternisait encore une
fois.

» La confession de cette expérience continue de
me fasciner aujourd'hui encore. Je la revois, s'attardant d'une voix sourde sur les détails de son émoi;
elle se parlait plus à elle-même qu'elle ne s'adressait
à la fillette grandie que j'étais. Je n'ai compris que
beaucoup plus tard ce qui reliait cet épisode à d'autres
parts obscures de sa vie. Ainsi je l'avais surprise un
soir dans une grange proche, rouge et décoiffée dans
la paille, fesses nues, en compagnie d'une jeune
femme qui tenait une cravache à la main. Avant de
se rajuster et de me présenter, pour cousine, sa
compagne, elle avait laissé échapper un soupir d'aise,
le dernier souffle du plaisir qui s'achève.

» Je me relis et je tremble de ce que j'ai tracé sur
ces pages. Pourtant je sais déjà que tout à l'heure
j'irai les mettre à la poste. Peut-être tout ceci, mon
vieux complice, n'est-il là que pour te faire admettre
mon comportement présent. C'est un peu en testa-

ment que je te lègue mes émotions de ces derniers jours, mes sensations et mes désirs. A l'avance, je ne regrette rien. Je ne pense pas t'en parler jamais quand nous reprendrons nos promenades dans les sous-bois. Ce soir je me sens indécise et si heureuse. Voilà deux heures que mes doigts soutiennent patiemment l'agacement de mon plaisir.

» Tu glisseras ceci dans un des brouillons de romans que tu ne termine jamais. Tu prendras soin de modifier les noms et les lieux. Jamais de preuves ! foi d'épouse de magistrat. Je rentre dans douze jours. J'attends Pierre dimanche pour visiter Saint-Moritz.

» Fidèlement,

» Katia ».

En rentrant très tard de la discothèque et après que Jérôme lui eut souhaité le bonsoir, Katia avait trouvé une nouvelle enveloppe sur le tapis de sa chambre. Mais, fatiguée et remuée par les confidences et les émotions de la soirée, elle avait remis à plus tard de la lire.

Ce soir-là, dansant contre lui, elle avait eu besoin de toutes ses ressources morales et même physiques (les bras gourds de tenir son cavalier à un minimum de distance, les coudes sur sa poitrine) pour éviter de franchir l'étape supplémentaire au-delà de laquelle un refus devient ridicule. A un certain degré de connivence, on passe des libertés aux privautés et ce qui fut accordé ne peut plus s'interdire.

Je vous vois sourire, Sophie. Le phénomène doit vous être familier. Tout terrain perdu est abandonné à l'autre, d'où l'accélération de l'avancée. La plupart des rencontres qui se terminent au lit suivent ce processus, moins répétitif qu'il n'y paraît. Pour beaucoup c'est précisément dans ce « compérage », puis-

qu'il n'y a ici ni vainqueur ni vaincu, que réside le
sel de l'aventure, quant au reste sans surprise. L'entreprise compte plus que le résultat.

Les précautions de Jérôme étaient plutôt flatteuses
pour Katia. A croire qu'il lui prêtait des capacités
de résistance particulières exigeant une exceptionnelle patience. S'il avait su les coups de cafard qui
la prenaient de temps à autre et la rendaient vulnérable, il aurait pu gagner du temps en faisant
choix du bon moment. Elle était envahie par périodes
d'un sentiment de ratage – rien d'irrémédiable, rien
d'apocalyptique, juste une sorte de creux, un vide
en elle qu'elle ressentait certains jours sans raison
spéciale devant sa vie douillette et médiocre. Cet
enlisement était à la fois extrême parce que toute
tentative d'en sortir paraissait d'avance vouée à
l'échec, et supportable par le fait que personne, sem-
blait-il, n'y échappait.

Croyez-vous, Sophie, que nos illusions ont vocation d'être vécues? Ce serait de votre âge. Mais
détrompez-vous! Nous avons le choix entre les
conserver ou les mettre à l'épreuve. En fait elles ne
subsistent que démenties ou déflorées. Cependant,
on ne saurait s'en passer. Et il est triste assurément
d'en être guéri trop tôt. Rappelez-vous la maxime
de Madame de Sévigné, empruntée à l'Italie : « Di
memoria nudrirsi, piu che di speme... », se nourrir
de souvenir plus que d'espérance. Et des souvenirs,
nous en avons, tous, plein les greniers de notre
enfance.

La lettre que tenait Katia le lendemain soir de la sortie avec Jérôme fit surgir de nouvelles brassées d'images du passé, comme sous nos pas, l'été, jaillissaient les sauterelles. De se préparer à la lecture des feuillets nouveaux, c'était déjà faire naître une sensation voluptueuse.

Cette béatitude diffuse, elle savait pouvoir la renouveler à chacune des lettres de son compagnon retrouvé. C'est cette même disposition d'âme qu'elle recherchait avec fièvre dans certains romans, ceux qu'elle devinait capables de créer et d'entretenir une atmosphère espérée. Quand elle avait vu juste, chaque page concourait à faire se dresser pour le dissiper et le reconstituer tour à tour ce halo bienvenu où le lecteur se meut délicieusement et qu'il sait pouvoir percer par fulgurances, enrichi chaque fois de ce qu'il a déjà engrangé. Ce que Katia espérait était moins des émotions que des *sources* d'émotion. Le sujet, les péripéties, l'anecdote lui étaient assez indifférents. Devant un livre inconnu, elle pressentait la rencontre. Elle feuilletait l'ouvrage. La présence de dialogues la faisait fuir, elle n'appréciait rien tant que le rectangle compact des signes noirs sur la page comme si de la texture de leurs mailles dépendaient la qualité, la propriété d'effervescence spirituelle des mots. Elle savait, sous le titre anodin, flairer ce qui satisferait sa faim. L'odeur du livre frais imprimé participait à cette magie et l'emplissait de délices pas si éloignées de l'émotion érotique, à l'instant précis où un geste bénin suffit à basculer définitivement d'un monde dans un autre,

du bavardage mondain ou amical à l'attente impul-
sive des amants.

Jérôme, dans cette nouvelle évocation du passé,
s'interrogeait sur la puissance du souvenir. Qu'en
demeurait-il vraiment de solide, de certain? et de
quel poids dans la main? Rien de plus qu'un froissement de feuillage un soir de beau temps, quand
le vent pousse doucement le reste de jour à l'intérieur des branches. Ce qui subsiste de soleil dans la
tiédeur des pavés du quai, quand rentrent au port
de la Pointe d'Arradon les voiliers à bord desquels
on n'est jamais monté, dans ces fins d'après-midi
passées à nager autour du ponton, avec cette envie
inavouée de ressembler à l'un de ces jeunes gens,
garçons et filles, qui descendent à terre, habitent les
villas de la côte, portent des vêtements éternellement
frais, jouent au tennis et vont en surprises-parties.
Le désir qu'éprouvait Jérôme de s'intégrer à ce
milieu, auprès de ces jeunes filles naturelles et non-
chalantes tels de doux animaux et qui lui demeuraient si étrangères, se changeait – parce qu'il le
savait impossible –, en une sorte de mépris : fausse
dignité des pauvres qui feignent de déprécier ce qui
leur est interdit.

Ce fut au quatrième concert des Jeunesses musicales de France, cette saison-là, quede manière
imprévisible la rupture se produisit.

Avant même qu'il en fît la proposition, elle lui
avait suggéré d'acheter sa place en même temps que
la sienne. Aux concerts précédents, ils étaient restés

chacun de son côté, avec leurs camarades respectifs. Cette fois, il serait assis près d'elle. Nouveau bonheur. Il avait mis pour l'occasion son unique costume, de flanelle grise. Peu avant cinq heures, elle arriva avec deux amies. Sans un regard pour lui, elle disparut à l'intérieur du théâtre. Interloqué, il s'attarda longuement sous le péristyle, pensant qu'elle allait ressortir, venir prendre son billet qu'il tenait à la main. Il s'accorda encore un délai de grâce, commençant à redouter le pire. Enfin, il fallut entrer. L'ouvreuse l'accompagna jusqu'aux deux fauteuils, côte à côte, encore vides. Il se laissa choir dans le premier, l'esprit noyé dans un océan d'incompréhension et d'incertitudes.

Schubert et Schumann étaient au programme. Le conférencier JMF enchanta la salle. Son évocation de la vie des deux compositeurs parut d'un brillant extraordinaire. Sa faconde enchanta le parterre. Le public n'avait pour critère de l'éloquence que les cours des professeurs du lycée. Sans vouloir diminuer leur mérite, je dirai que c'était peu. Dans notre classe, seuls deux camarades avaient la télévision. On se disputait la chance de se faire inviter les jours où Daniel Sorano, en noir et blanc, jouait *Cyrano* ou *Le Médecin malgré lui*.

Le conférencier décrivit les salons où se produisait Schubert (il prononçait « Chouberte », ce qui sembla du dernier chic). Son regard traquait dans la salle un auditeur invisible. Il le convia à imaginer une robe à crinoline, des nœuds de ruban rose autour de ses pantalons. On sut rire. Plus tard, il émut en évoquant le soir du Carnaval, la plongée de Schumann dans les eaux glaciales, le repêchage misérable puis l'internement à Endenich jusqu'à la fin, deux ans plus tard, à quarante-six ans. Dans la pénombre, deux cents adolescents se tenaient, les yeux brillants, l'âme palpitante. Ils étaient persuadés de goûter là à une sorte de communion artistique, quelque chose qui les dépassait mais où ils pourraient puiser ensuite à volonté. Jérôme, lui, avait l'esprit ailleurs.

A l'entracte, il la vit de loin, au milieu d'un petit groupe. Il n'osa pas aller jusqu'à elle et lui demander des explications. A la sortie, il attendit longtemps avant de l'apercevoir, toujours entourée d'amies. Elle s'éloigna lentement. Quand elle remonta la rue Pasteur, il n'y avait plus avec elle que trois jeunes filles. Il marcha un instant à leur suite, tour à tour passant de l'ombre à la pleine lumière des réverbères. Il décida enfin de se porter à leur hauteur.

— Pourquoi n'es-tu pas venue avec moi, Katia?

Elle ne dit mot.

— J'avais ton billet comme prévu. Pourquoi?

Sans que rien eût laissé prévoir sa réaction, elle se fâcha :

— Je n'en ai rien à foutre. Laisse-moi. Va-t'en! Va-t'en! Mais va-t'en enfin!

Il s'arrêta immédiatement, interdit. Les jeunes filles présentes émirent quelques paroles de protestation. Réelle ou feinte, leur indignation lui fit du bien. Il ne comprenait rien à ce qui lui arrivait. Ce personnage d'un être aimé qu'il croyait familier lui devenait totalement opaque. Il ne parvenait pas à découvrir un seul motif à son attitude. Son esprit butait sur cette contradiction : elle a voulu venir avec moi au concert; huit jours après, elle me fuit. Que s'est-il passé entretemps? — Mystère... Cette semaine-là, il ne lui avait pas donné signe de vie, trop content de ce rendez-vous à venir. Elle, de son côté, ne s'était pas manifestée. Conclusion? aucune. Il nageait dans l'inconnu.

Il ne bougea plus. Il la regarda jusqu'au bout, jusqu'à ce que la tache claire de sa jupe printanière disparût tout à fait, sous le dernier lampadaire dans la déclivité de la rue Jérôme-d'Arradon. Alors, il revint lentement sur ses pas. Il nota le silence, la nuit, les premières senteurs des tilleuls qui annonçaient l'été.

Le samedi matin, Jérôme partit visiter Pontresina, un village construit sur une falaise, un véritable Burg au cœur des neiges, lui avait-on dit. Dans le car, au travers des sapins et des abris d'alpage, la fille assise en face de lui avait sans y penser placé ses jambes entre les siennes. Il accueillit, au rythme des cahots, le frottement doux des cuisses contre les siennes. Il aidait un peu, serrait légèrement. Les genoux poursuivirent leurs hochements. Il s'efforça de retenir leur chaleur, leur contact pendant quelques secondes. La jambe s'éloigna puis revint.

Cette fantaisie lui était familière. Généralement tout s'arrêtait là. C'était un vieux fantasme datat du jour où il était resté assis, enfant, un quart d'heure sur une banquette étroite dans la loge du concierge, tout contre la fille du cinquième qui attendait un taxi. Souvent il la croisait dans l'escalier. Vingt-deux ans, pas fréquentable, disait-on. Elle recevait des messieurs. Circonstance aggravante : dans la journée. « Une traînée » selon le concierge qui s'arrangeait pour lui voir les jambes quand elle montait le long de la rampe – exprès? –, balançant haut sa jupe courte. Dans des voitures de sport, on la voyait arriver, cheveux au vent. Longtemps, devant la porte, le moteur tournait au ralenti, la portière paraissait hésiter à s'ouvrir. L'homme ne montait pas toujours avec elle, mais elle le dédommageait de sa peine sur le siège de la voiture par quelques agaceries poussées qui scandalisaient le rez-de-chaussée, un vieux couple de retraités. Jérôme captait parfois leurs commentaires au passage, derrière les volets : « Une chienne, une véritable chienne ! »

Quand derrière elle il faisait quelques pas de complicité dans l'escalier, il se berçait de rêves insensés. Certains soirs, son parfum capiteux l'enivrait plus que de coutume, ouvrait des portes inconnues sur un paysage de voluptés. Pourquoi pas en la guettant épier la rencontre, regarder par le trou de la serrure les deux partenaires? Il avait découvert, dans le noir, des métamorphoses possibles de son corps, avec autour de ses mains un souffle de bêtes tièdes à chaudes narines, dans sa poitrine une gaieté nerveuse, une jubilation d'enfants au soir des grandes vacances.

Les hanches rondes passèrent à hauteur de ses yeux. La fille descendait de l'autocar. Il tenta de croiser son regard, de savoir si elle avait noté son

manège (comment aurait-elle pu l'ignorer?). Elle
longea le véhicule, leva la tête vers la vitre où il se
tenait, derrière le rideau d'une neige tourbillonnante
et le verre qui lentement s'embuait. Un sourire mutin
traversa le beau visage. Cette complicité l'émut. Il
frissonna. Cette qualité de la sensation était rare. Il
fallait la conserver au mieux. C'est ce qu'il tenta de
démontrer à Katia durant le dernier soir. Il lui
raconta ce qu'il appelait son « été de Técla ».

Técla, de deux ans son aînée, habitait Agadir et
passait ses vacances en Bretagne, à Vannes. Il ne la
rencontrait qu'au tennis où elle se rendait régulièrement, malheureusement toujours chaperonnée par
son père, un homme trop âgé pour jouer lui-même.
Quand Jérôme arrivait au club, elle arbitrait parfois
une partie, assise sur la haute chaise. Il la saluait
de loin. Si elle lui faisait signe, il venait se placer
contre les barreaux de la petite échelle, la joue près
de sa jambe nue. Au moindre mouvement il recueillait, portés par l'air léger, la chaleur d'une cuisse
tiède, le parfum doré de sa peau qui flottait dans
l'été, avec l'odeur plus lourde, intime, qui se tient
aux replis des filles et qui lui rappelaient les feuil-
lages d'automne après la pluie. Les balles blanches,
neuves, sentaient bon la douce odeur de tricot frais
lavé. Ignorant son trouble, elle proposait d'aban-
donner, s'il s'ennuyait, son arbitrage. C'est avec une
sincérité totale qu'il refusait énergiquement et faisait
mine de s'attacher passionnément au jeu.
Il était à la saison de la vie où l'on découvre les

émois tout neufs nés de la présence d'un corps, d'une peau infiniment douce dont on ressent physiquement la distance qui la sépare de ses doigts, de sa bouche.

Un matin, Técla accepta qu'il vînt la prendre en vélomoteur au pied de l'immeuble où elle séjournait. Cette fois, il était assuré qu'elle serait seule. Il y fut avec une bonne demi-heure d'avance. Elle parut. La plupart des filles qui venaient au tennis portaient des jupettes plissées. Mais il ne vit jamais Técla autrement qu'en short, blanc ou à fines rayures bleues ou roses, très court. Ce jour-là, elle était particulièrement pimpante. Un ruban retenait ses cheveux blonds. Le soleil aidant, elle avait ses yeux les plus clairs, entre le vert et le bleu pâle. Elle s'assit sur le tan-sad, ceinturant Jérôme de ses bras nus.

Après une heure de jeu, ils filèrent sur la rive du golfe, au bas de la grande descente qui mène à l'isthme de Conleau. Ils abandonnèrent leur monture contre le muret qui protège la chaussée du flot et avancèrent le long de la grève, dans un renfoncement de rochers qui les mettraient à l'abri du vent et des curieux, rares d'ailleurs à cette heure et à cet endroit.

Devant eux, à marée basse, s'étendait une vaste plaine d'algues vertes, veloutées comme des mousses, qui prenaient au soleil des reflets mordorés.

— On dirait des élytres de hannetons, tu sais, les cétoines dorées.

Técla ne connaissait pas. N'y en avait-il pas au Maroc? De vivre si loin, ou ce qui paraissait tel au garçon, lui procurait une nature étrange. Elle habitait un continent où il ne se voyait aucune chance, ni à vrai dire aucune envie, d'aller un jour. Técla riait de l'entendre avouer sa naïveté. Elle était en rupture de ban, hors la surveillance paternelle. Elle était là, songeait-il, présente, oh tellement présente; bientôt elle repartirait. Mais à cet instant, il y avait son visage devant lui, ses bras nus et ses cuisses, avec leur matité de caoutchouc.

Elle avait dans son sac une grande bouteille de Coca-Cola. Ils burent tour à tour. L'âcreté de cette boisson qu'il ne connaissait pas piquetait la langue; il lui trouva un goût d'eau bénite et de pharmacie. Reposant la bouteille dans son dos, contre la hanche opposée de Técla, il découvrit qu'il avait les lèvres contre sa nuque. Il embrassa doucement la surface de peau à sa portée. Lentement, comme au ralenti, elle se renversa. Ses doigts jouèrent dans ses cheveux courts. Était-ce ses lèvres, sa langue, sur la bouche qui s'offrait, palpitante comme une étoile? Après mille échanges mouillés, il se dressa sur un coude pour la regarder. Son visage lisse, ses cheveux raides mais souples dans leur masse, son sourire frais, ce teint clair et couvert d'un hâle léger, ce côté sain et sportif que dégageait toute sa personne correspondait exactement à la représentation qu'il se faisait d'une jeune Américaine. Il le lui confia. Elle rit, voulut savoir pourquoi « américaine », d'où lui venait cette idée? Mais elle était flattée.

Il ne savait sur quoi reposait ce sentiment, il ne connaissait pas d'Américaines, sinon au cinéma. Judy Garland à seize ans dans Le Magicien d'Oz, c'était peut-être cela? Elle ne croyait pas du tout lui ressembler mais ne voulut pas le contrarier.

Maintenant, ils ne parlaient plus. Son tee-shirt avait remonté ou bien elle l'avait tiré hors de la ceinture. Une large surface de peau nue apparut, qu'il couvrit de la main. Les yeux de Técla se fixèrent aux siens, avec sérieux, mais elle ne dit mot. Enhardis, ses doigts coururent le long de la taille, progressant lentement, place par place, se glissèrent sous le tissu léger, plus haut, jusqu'à la lisière du soutien-gorge. Ils y établirent une sorte de garde, allant, venant, infiniment. Elle frémissait, se creusa. L'élastique se souleva à peine, mais trois phalanges avaient franchi la ligne. Puis le dos de la main repoussa par-dessous la dentelle blanche, drue sur le rebord tendu. Elle soupirait. Sa respiration s'accéléra. La poitrine se gonfla comme soulagée d'un poids qui l'oppressait, tandis qu'il venait sur la moitié des seins qui s'offraient, lourds, ourlés et larges sous la paume.

Il saisit les bouts granités entre le pouce et l'index. Il connut la découverte tactile de leur couleur. Il en pressentit la teinte brun-grenat, tel un aveugle, percevant la variation de la lumière entre la partie lisse, blanche et souple des globes tièdes et les pastilles foncées et granuleuses des aréoles autour du bouton plat.

Il se pencha pour voir, il ne pouvait en détacher son regard. Il n'avait pas imaginé qu'une femme pût être si parfaite. Les seins se dressaient, gros bourgeons ronds, bien qu'elle fût allongée sur le dos, comme s'ils étaient de marbre. Ils bougeaient par saccades au rythme de la respiration haletante de la jeune fille. L'étoffe roulée du soutien-gorge en soulignait le galbe.

La scène possédait quelque chose de ces photos 1900, jaunes ou sépia, que certains se passaient au lycée, plutôt ridicules qu'excitantes. Il imagina Técla aux trois quarts nue, tendant les fesses, appuyée sur une colonne de stuc en attendant la petite explosion du magnésium. Cette idée le rendit fébrile. Mais le lieu et son inexpérience ne se prêtaient guère à favoriser d'autres hardiesses. Il ne bougeait plus, les doigts posés sur les rondeurs neuves de cette chair inconnue. Técla l'attira à elle, sur elle. Il recueillit alors modérément, trop pressé pour les reconnaître vraiment, cette moiteur nouvelle des fougères, ce grenat des mousses, ces odeurs de bois mouillé puissantes et fades à la fois, qu'il découvrait à pleines lèvres, tout un été au sexe blond.

Le samedi matin, Katia reçut une dernière lettre de votre père. Il y contait quelques anecdotes de prétoire. Votre mère, durant les premiers mois de son mariage, avait fréquenté la grand'messe judiciaire du mercredi et du vendredi après-midi où son époux, le cou bordé d'hermine, présidait le tribunal de grande instance. Le procureur Demartre ou son substitut Lecerf et le président Desbarrats tenaient les seuls rôles qui comptaient. Les accusés ne faisaient là que de la figuration. On rivalisait entre initiés de citations savantes, de mimiques, d'effets de manche (surtout le procureur qui avait pour donner toute sa mesure la chance de se tenir plus théâtralement debout), auxquels, rompu aux trois registres, se joignait l'avocat, notamment maître Mouche dont le patronyme fournissait aux habitués du palais une provision de bons mots. Grand cinéphile, maître Mouche animait en ville le ciné-club et en tirait une réputation de culture artistique.

Le procureur avait une maîtresse, veuve disait-on, qui logeait rue de la Salle d'Asile. La dernière condamnation prononcée sous les ampoules tristes de la salle d'audience, il prenait pour la rejoindre un raccourci de cinq minutes au travers du jardin de Limur, un havre de verdure et de paix sur cinq niveaux, une petite merveille. Le vieux jardinier, qui le voyait passer deux fois par semaine au moment où il remisait ses ustensiles, avait fini par le saluer comme il le faisait pour les habitués du jardin qui à cette heure-là avaient déguerpi.

On croisait dans les rues de la ville « la bien-aimée du procureur », c'était l'expression consacrée. On discourait tellement sur son compte chez les notables que la première fois qu'on la lui montra du doigt, avec la discrétion qui sied, lors d'une soirée musicale, Katia fut très surprise de découvrir cette petite-bourgeoise quadragénaire, engoncée dans un vaste manteau de ragondin. Où était la vamp annoncée? « Justement, susurraient les bonnes langues, comme elle cache son jeu, voyez! »

Quelques allusions, si évasives que Katia n'y avait rien compris, achevaient de brosser le portrait d'une Messaline de sous-préfecture. On donnait son prénom, Yvette, comme une preuve ultime de sa louche origine. Les tangos les plus célèbres, nés dans les bordels de Buenos Aires, ne s'intitulent-ils pas fréquemment ainsi? Après tout, cette musique célébrait à ses débuts de jeunes personnes expatriées dans l'autre hémisphère pour y faire montre de talents dits bien français. Que l'Yvette, cause de leur émoi, fût née à Lanvenegen, à soixante kilomètres de là, ainsi que chacun le savait, ne changeait rien à l'af-

faire. Elle avait vécu quelques années à Paris ou
ailleurs, qui sait? Amante, maîtresse et vivant seule
– l'existence d'un mari, même trompé, l'aurait réta-
blie dans l'équilibre social –, elle était le mystère,
le visage de la perversité au sein des familles, encore
qu'en présence d'enfants on se gardât d'y faire écho.
Pour les vieilles filles, et chaque maison en comptait
quelques-unes, elle était le stupre incarné, tout juste
si elles ne se signaient pas à son passage.

Comme il le confirmait expressément, votre père
serait à Sils-Maria dimanche. Katia passa cette dernière journée à lire et relire la volumineuse « cor-
respondance » de Jérôme. Elle avait accepté un nouveau rendez-vous pour le soir même. Contrairement
aux autres fois, dans l'enveloppe qu'il avait glissée
sous la porte la veille, Jérôme parlait moins de ce
qui les concernait tous deux que de son propre passé.
Il avait tenu à évoquer sa grand-mère maternelle,
lavandière à l'étang au Duc, qui habitait une unique
pièce dont le pauvre jour dans la fenêtre minuscule
était encore obscurcie par des géraniums rouge feu
à l'odeur de morgue.

Même en plein hiver, les vieilles lavaient le linge
dans l'étang gelé, brisant s'il le fallait la glace du
tranchant de leur battoir. Au bruit des gifles sonores
dont elles battaient les draps sur la pierre, et à
l'odeur de la lessive qui bout, Jérôme les devinait
de loin, agenouillées dans leurs caisses en bois à
trois côtés. De hautes bassines noircies lâchaient en
cadence des nuages de vapeur blonde. Quand les
laveuses soulevaient un couvercle à l'aide de la poi-
gnée emmaillotée d'un linge humide, il avait parfois

la chance de voir l'eau gicler de la pomme d'arrosoir qui surplombait l'entassement du blanc. Le phénomène naissait brusquement, s'intensifiait, crépitant comme une pluie d'orage. On eût dit que l'instrument, éclaboussé de lumière, avait sorti ses griffes pour s'apaiser, épuisé.

Le toit bas du lavoir accumulait un arsenal d'odeurs, de lueurs, de bruits. D'un côté l'étang, de l'autre les grandes salles obscures, aux relents de cendres froides. Après avoir dit bonjour à sa grand-mère qui appréciait peu d'être dérangée et recevait son baiser en maugréant (cependant, s'il tardait à venir la voir, elle s'en plaignait amèrement), Jérôme poussait quelquefois au-delà de l'extrémité du lavoir jusqu'à un sentier qui longeait, entre les joncs, la berge de l'étang. Là, vaquaient une vingtaine d'oies qui, à sa venue, roulaient comme des tonnelets en cacardant. Il lançait vers elles, sans souci de les atteindre, un morceau de bois ou un caillou. Alors elles se jetaient à l'eau avec des criaillements furieux et éraillés.

En été, l'odeur de la lessive qui sèche en plein air rappelle celle du sperme. Seuls les garçons s'en rendaient compte et échangeaient des regards complices dans le chemin creux qui menait à Pen Er Men, dévalant à bicyclette la descente qui conduit au port; les filles, sœurs ou cousines, demeuraient étrangères à l'affaire, et si elles les questionnaient pour tenter de comprendre cette hilarité soudaine, elles ne tiraient de leurs compagnons que de nouveaux rires.

Jérôme venait là sur cette petite plage par des sentiers d'herbes et de sable, généralement avec deux

ou trois camarades. Ils pédalaient dans la chaleur
forte des débuts d'après-midi, le long des haies de
genêts dont l'efflorescence conservait en pleine cani-
cule une virginité de fraîcheur. Le temps d'atteindre
le sommet de la colline et, zigzaguant dans la pente
pour rechercher l'ombre, ils se laisseraient aller sur
l'étroite bande affinée et lisse qui bordait le chemin.
Ils s'abandonnaient au chuintement des pneus, au
mol balancement que venait rompre d'un coup sec
un caillou chassé par la roue, une brindille se brisant. Jérôme avait à chaque fois l'impression de
découvrir la route, le paysage, cet arbre, ce bosquet
nouveau, cet oiseau inconnu. Il entretenait l'espoir
fou de voir surgir, de derrière un muret, à une
croisée de chemins, à l'entrée d'un champ, poussant
la barrière débonnaire qui gardait les vaches au
pacage, quelque fille de son âge qui lui offrirait ses
yeux myosotis et qu'il pourrait chercher, demain,
toute une vie, à revoir.

Au cœur de sa chambre, Katia demeurait songeuse
et vaguement inquiète. Cette soirée, la dernière qu'ils
passeraient en tête à tête, pouvait révéler, réveiller
le meilleur ou le pire. Le tumulte de ses pensées
était trop violent pour qu'elle continuât sa lecture.
Il y avait un trop grand décalage entre ce que conte-
nait la lettre, qui était doux et tendre, et les images
que suscitait la perspective de la nuit à venir. Elle
préféra ne pas davantage les laisser prendre tour-
nure.
   Elle descendit dans le salon de l'hôtel. On y faisait

des pizzas. Il y avait dans un des murs du large vestibule une ouverture oblongue dissimulée d'ordinaire par une plaque de fonte, maintenue par un contrepoids. C'était un four à bois. A ce moment, la porte du four, à demi ouverte, faisait entendre des crépitements de pluie. C'étaient les fagots qui brûlaient. Les vacanciers observaient, subjugués, le ballet du feu. Qui ne s'est senti ému, sans raison, devant la flamme ? Katia regardait la gueule du four et sa langue rouge qui grondait sous le bâillon noir de la porte. D'ici, elle percevait le bruit familier du bois suant dans l'âtre, ce fusement humide au milieu du craquement sec des brandons.

Une main se posa sur l'épaule de Katia. C'était Jérôme.

Ainsi, se dit-elle, les jeux sont faits.

Je me connais assez bien, Sophie, et si je manque souvent de scrupules, j'ai en revanche des préjugés. Ainsi, il y a des termes que je n'emploie pas. Je dirai donc que Katia et Jérôme se connurent, comme dit la Bible, et qu'ils allèrent jusqu'au bout de l'intimité. Vous devinez que, si cela est arrivé, c'est que Katia l'avait voulu. Elle n'était pas du genre à se laisser faire, si elle ne l'avait pas choisi.

Le décor était à la hauteur de l'événement. A travers les hautes fenêtres noires, ils devinaient la présence des montagnes qui les entouraient et veillaient sur eux avec leur gravité millénaire. Katia, plus encore qu'à Jérôme, s'était livrée à elle-même. Il l'avait découverte occupée à rechercher ce qu'il traquait lui aussi; elle avait fait montre d'un appétit et d'une curiosité dont il ne l'aurait pas crue capable. Maintenant, il était tellement ému qu'il demeurait immobile à la contempler sans plus songer à d'autres plaisirs. Il était cinq heures du matin. A l'entour, le silence. A peine, de temps à autre,

les craquements du givre sur les carreaux, comme
l'appel d'un rendez-vous mystérieux.

C'est Katia qui avait pris l'initiative. Elle lui
avait demandé d'aller après dîner à la discothèque
jour où l'on servait cet excellent cho-colat. C'était
donc cela, songeait-il, cette femme qui toute une
semaine n'avait eu de cesse d'éviter une trop grande
intimité et s'était efforcée de maintenir une distance artificielle, cette femme qui en sa présence
s'était interdit de trahir toute émotion, quand il
l'avait sentie plus d'une fois à deux doigts d'être
submergée, emportée par la poussée du souvenir,
et qui à présent accélérait l'allure...

Elle reposait sur le drap rose. Voyant qu'il l'observait, elle eut un petit geste du dos de la main
contre le matelas qui pouvait signifier : « On est bien »
ou « Ne pense à rien », puis elle s'assoupit, entrant
dans un sommeil léger avec un sourire d'épousée.
Ce sourire était bien ce qu'il connaissait le mieux
d'elle depuis toujours. Pendant quelques semaines,
adolescent, il s'était mis dans la tête qu'une femme
entrevue à la chapelle du lycée (où il venait à la
messe pour, après l'office, faire tamponner un petit
carton bleu, témoignant de sa présence, avant de
savoir qu'il pouvait agir de même à la cathédrale)
était, du fait d'une certaine ressemblance, la mère
de Katia : l'œil en amande, le visage un peu large,
trop généreusement fendu d'une bouche à laquelle
l'insistant retroussis des lèvres conférait une apparence énigmatique. Il devait l'avouer, cette métamorphose mûrie de la jeune fille suffisait alors à
l'émouvoir sans qu'il eût besoin d'imaginer, au tra-

vers, la lycéenne qu'il aimait. Cette représentation épanouie des formes de l'adolescente lui procurait des sensations plus intenses. Ses rêveries s'enrichissaient d'une panoplie de voluptés, cependant imprécises. Dans ses nuits de veille, les images d'un corps déshabillé mais pas tout à fait nu, tantôt cachant, tantôt révélant le mystère féminin, se succédaient à l'infini. Mais le jeu s'interrompait dès lors que la participation du rêveur eût dû se faire plus précise. Et toujours revenait cette femme qui s'offrait à cette figuration patiente, impatiente, qu'il tentait de varier par d'infimes détails sur l'unique registre répétitif qu'il possédat. L'imagination lui manquait, faute d'expérience, et la mise en scène ne s'achevait jamais.

Après le dîner au village, il y avait eu la soirée à la discothèque, le retour au milieu de la nuit, les embrassades dans le froid, tout au long du chemin, le gel craquant sous leurs pas avec un bruit de feuilles mortes dérangées. Puis Katia avait tout naturellement suivi Jérôme. Dans l'ascenseur, c'est elle qui avait appuyé sur le bouton du septième étage alors que sa chambre était au second. Devant sa porte, tout en actionnant la clé, il s'était tourné vers elle, interrogatif.

– Oui! avait-elle lancé dans un souffle.

Maintenant, il ne se lassait pas de la contempler dans l'abandon qui suit l'extrême effort et donne cet air de satisfaction profonde que procure la fatigue physique.

Allongée sur le côté, une jambe repliée mettant en valeur les courbes doubles des fesses et la fleur des reins, Katia avait la majesté d'une louve. La matité de la peau donnait à l'ensemble un fini supplémentaire, un achèvement de statue. Les seins, largement séparés, gros et tendus, paraissaient de bronze. Le sexe avait le poli d'un grain de café géant. Admirant qu'un seul corps rassemblât la plupart des beautés dont l'une ou l'autre suffit, ailleurs, à attiser le désir, il restait silencieux et pensif. A vrai dire, était-ce bien une femme, un être de chair, autonome, qu'il avait près de lui ou le songe qui l'habitait depuis toujours ?

Cette nuit avait vu le couronnement de ses espoirs. Mais comment faire durer l'exaltation ? Le rideau allait retomber sur la scène d'où il serait repoussé. Était-ce le bonheur, ce qu'il venait de connaître, ou une représentation du bonheur ? Ce qu'il sentait monter et s'établir en lui (en cet instant où il demeurait comblé dans sa chair après le sourd contentement, le grisant sommet atteint), il l'attribuait à sa capacité de « sentir », à une qualité de son esprit. Il croyait y déceler une profusion de l'âme, une communion de l'être. Ce n'étaient que le doux engourdissement, la sensation d'aise qui suit l'engorgement du sang quand il recouvre un rythme plus paisible. Ainsi les soirs de chaleur des éclairs rayent la nuit, silencieux et vains.

Devant la forme assoupie qui avait si longtemps hanté ses veilles, il montait en lui comme une première bouffée de regret. Ce n'était pas la tristesse, pas encore, mais il découvrait, sur sa lèvre qui gardait le goût de l'ardeur récente, une soudaine amertume. Une sorte de ressentiment l'emplissait, qu'il ne s'expliquait pas.

Il n'y avait pas d'avenir, pas même au sens propre un lendemain, à leur conjonction. Comment imaginer dans quelques heures l'arrivée du mari, les présentations, « Jérôme, un ami d'enfance, retrouvé par hasard... », « Pierre, mon mari », les sourires contraints, les banalités d'usage et cet air appliqué de la femme qui dissimule le mensonge sous l'intensité de la certitude. On nagerait en plein vaudeville.

Il se leva. Ses yeux quittèrent Katia pour la fenêtre où il devinait la ligne noire des sapins à flanc de montagne. Dans trois heures, il ferait jour.

Les pensées les plus contradictoires se bousculaient en cette silhouette dressée contre la vitre. Cette semaine ne serait-elle pour lui qu'une parenthèse ? Demain, Katia retrouverait-elle les siens comme si rien n'était arrivé, n'avait été changé, définitivement modifié ces dernières heures ?

Plus il la regardait, étendue sur le drap, plus elle était davantage nue, pareille, à l'encontre de toute vérité, à la jeune fille aux bas rouges qui ramenait sa jupe sur ses genoux quand elle passait devant lui à bicyclette.

De mêler Katia à son double adolescent eut sur

lui un étrange effet. C'était comme s'il attribuait à la femme l'indécision, les caprices de la jouvencelle. Encore un instant, et il penserait qu'elle s'était moquée de lui, l'avait utilisé comme dérivatif à l'ennui d'une semaine solitaire. La minute d'après, il était honteux de lui prêter d'aussi noirs desseins. Pourtant, la vue de ce corps de femme, de ce volume lisse de chairs, de rondeurs offertes, dans l'abandon d'un être lové sur son plaisir, refermé sans méfiance sur sa quiétude, relançait son acrimonie, tant ce repos heureux contrastait avec le harcèlement, la confusion de son esprit.

Tout ce qui est grand, se répétait-il emphatique, se brise ou se déchire. Il ne saurait faiblir par usure ou par anémie. Mais Jérome savait aussi que c'est le sort commun, que rien n'y échappe et que les plus longues, les plus folles passions s'éteignent sans plus de raison que ce qui les inspira. On est toujours trahi par ce vieux fond de l'âme humaine qui porte en lui sa soif de tranquillité et de paix. Il vient un âge, un moment où l'on n'aspire plus qu'au pot-au-feu fumant sous la lampe.

– Ah non! Pas ça! Pas nous!

Il avait parlé trop fort. Katia ouvrit les yeux, surprise. Elle l'aperçut et lui sourit d'emblée, ainsi qu'on traduit sa complicité sans même savoir à quoi elle s'applique.

Cette émotion légère, un peu lente, immersive, qui prend à l'écoute d'une mélodie, a toujours un charme de connivence avec la mélancolie. Sa véritable force n'est pas dans l'agencement particulier de notes musicales, mais plutôt dans cette faculté d'égarement délicieux qu'elle engendre, quand son tempo s'accorde si bien, secrètement, à notre rêverie. Comme le trouble qu'elle épand ressemble aux premiers mouvements d'une passion. Son objet apparaît lointain, ainsi qu'au travers d'une brume, mais on peut le croire accessible au prix d'un effort qu'on se découvre tout prêt à accomplir. Et cette capacité qu'on s'adjuge volontiers renforce l'effet qu'il possède sur notre âme.

Dès que nous avons identifié l'être susceptible de fournir un élan à notre exaltation, en nous un feu étrange se consume. Notre véritable souci n'est pas tant de satisfaire le désir que de l'entretenir. Avons-nous l'imagination des détails et notre fièvre est assurée : l'amour est tout de représentation. La personne aimée y est pour peu; elle joue le rôle des portées dans la musique : l'espace où elle s'établit.

Je ne sais si vous avez lu *Le Chasseur vert*, Sophie. Le roman porte un nom plus connu, mais c'est celui-là qu'avait prévu l'auteur avant que la mort lui ravisse le temps de l'achever.

Dans ce texte, une page évoque la puissance affective d'un air de cuivres sous les frondaisons. J'aimerais vous la copier :

« Il y avait ce soir-là, au café-hauss du *Chasseur vert*, des cors de Bohême qui exécutaient d'une façon ravissante une musique douce, simple, un peu lente. Rien n'était plus tendre, plus occupant, plus d'accord avec le soleil qui se couchait derrière les grands arbres de la forêt. De temps à autre, il lançait quelque rayon qui perçait au travers des profondeurs de la verdure et semblait animer cette demi-obscurité si touchante des grands bois. C'était une de ces soirées enchanteresses que l'on peut compter au nombre des plus grands ennemis de l'impassibilité du cœur. »

Vous transposerez l'émotion due à la musique à celle que j'éprouve à évoquer Katia et Jérôme pour vous, avec vous. Et vous comprendrez ce que peuvent constituer pour moi les souvenirs des deux êtres dont je me sens le plus proche au monde. C'est une occasion, malgré la tragédie qui lui fait ombre, d'enchantement et de mélancolie.

Je ne suis allé qu'une fois sur la tombe de Katia mais avec d'autres, beaucoup d'autres, dans la petite foule de l'enterrement. Depuis, je n'ai jamais voulu m'y rendre. Il m'a suffi de ce jour-là quand nous la mîmes en terre, car, oui, ce ne furent pas seulement les deux croque-morts tenant les cordes où glissait le cercueil qui la descendirent au tombeau, ce fut aussi l'assemblée de ses amis. Quant à moi, j'ai ressenti si fortement, si physiquement la présence du cadavre dissimulé en cette caisse de bois, j'ai vécu si intensément cet acte de l'enfouir profond, comme pour le cacher, qu'on ne le volât point, ainsi que le chien enterre un os pour y revenir plus tard, qu'il m'est désormais impossible d'accepter à nouveau de me trouver près d'elle, près de cet autre qui ne disparaît pas hélas, qui s'attarde, masse immobile, paquet de viandes et d'os admirablement, absurdement semblable à lui-même *avant*, reflets en moins sur les lèvres, lueurs en moins dans les yeux, cet autre qu'on aimait. Cette cape de marbre, ensemencée alentour de galets blancs, cette dalle qui la couvre, elle ou ce qui reste d'elle, jamais je ne veux la revoir.

J'ai choisi pour vous d'évoquer Katia vivante et je veux m'en tenir au pouvoir aimable de la mémoire, à une réalité des mots plus sûre, plus précieuse que ce monde qui nous entoure et dont les journaux suffisent à donner l'écho.

A imaginer aujourd'hui cette tombe, ce n'est pas une présence, c'est une absence, un gouffre qui s'ouvre où s'est perdue cette somme infinie de pensées, d'émotions, de sensations, de sentiments formant ce qu'il y a de plus incompréhensible dans l'univers : un être humain; aujourd'hui recouvert de terre, plaqué à la boue, se décomposant lentement, mêlé aux racines, aux matières organiques appelées par l'humus et fécondant en vain ce carré de sol où ne poussent que le faux marbre, des angelots de faïence et des fleurs en plastique.

J'ai la sensation absurde que là une puanteur m'attend, qui me monterait atrocement aux narines. Et plus que tout, je ne peux admettre cette terre jetée sur Katia, tassée à l'intérieur de cette bouche ouverte sur quelle phrase éternellement figée, cette terre souillant dents et lèvres, jetée en ses yeux ouverts dans cette terre partout lourde et pénétrante, accolée à chaque parcelle de sa peau. Je n'aime pas les cimetières; les cyprès sont des arbres bêtes; ils laissent échapper sous eux de petites boules sèches en forme de quadruple croix de Malte qui craquent sous le pas avec un faible bruit pour s'émietter, motteuses, dans la poussière.

Nous sommes tous promis au même effritement auquel se résume un être, un résidu de vivant rendu à son importance réelle à la surface du globe. Alors que rien par ailleurs, rien absolument n'a changé, connu la moindre variation. Nulle feuille d'arbre, serait-ce en face de la fenêtre où il y a peu se tenait, vivant, ce corps de femme, nulle fleur, même celles qui égayaient son balcon et qu'elle respirait chaque soir, ne s'est plus vite desséchée. Nul objet des plus familiers qu'elle touchait ou frôlait cent fois par jour ne s'est davantage empoussiéré. Le petit poste de radio sur la table de nuit est prêt à fonctionner encore et à redonner le même bredouillis de nouvelles sans intérêt, de plaisanteries vulgaires, de publicités et de fautes de français. Le facteur, imperturbable, déposera chaque semaine dans la boîte aux lettres l'hebdomadaire féminin auquel elle était abonnée pour huit mois encore.

Ce fut au matin qu'on l'enterra. Un pâle soleil d'hiver éclairait les roses de plastique et les crucifix de métal du vieux cimetière, celui qui se trouve près de l'étang, au-delà de ce quartier mal famé, la place Cabello, qu'il faut traverser pour s'y rendre à pied. C'était un matin de janvier, préparant l'incertaine gloire du jour dans un ciel parsemé de petits nuages ronds, comme un champ de coton. Quand nous revînmes de la cérémonie, la journée était encore devant nous. Insupportable.

Je ne me suis jamais fait à la certitude d'un crépuscule de la vie. Je reste effrayé et enthousiaste à

la fois devant chaque jour nouveau (le dernier?),
sans vrai souci pourtant de ne pas le voir sauf par
bouffées d'angoisse qui n'ont guère augmenté avec
l'âge. A ceci près que je sais aujourd'hui avoir eu
raison sur l'existence, ou de l'existence si l'on veut.
J'ai vécu de peu, tirant mon suc de bonheurs petits,
mais quotidiens; sans folles passions, sans tourments
oppressants, sensible jusqu'à l'évanouissement à cette
odeur de la terre après la pluie, à ce velouté des
mûres dans la haie, à cette lumière sur les ajoncs
et la joue d'une fille.

J'ai vu hier un récent film de Fellini. Un personnage y déclare : « J'aime me souvenir plus que de
vivre! » Il semble bien que l'auteur partage cette
pensée. Cela m'a rasséréné de l'entendre. C'est un
mot que j'aurais aimé inventer.

Mais il faut en venir à ce dimanche qui fut le lieu du drame. Tôt le matin, Pierre Desbarrats arriva par le petit train à crémaillère qui joignait Chur à Sils-Maria. Il était à huit heures précises à l'hôtel, où il parla un moment avec le concierge, puis il monta à la chambre de votre mère qu'il trouva endormie. Dans votre petit lit, vous aviez les yeux ouverts. Vous l'avez accueilli avec des démonstrations de joie. Plus tard, reposé lui aussi, votre père s'est éveillé. Katia était à côté, à prendre un bain. Il vaqua un moment dans la chambre. Il semble qu'il découvrit un paquet de lettres, celles de Jérôme. Il commença de les lire. C'est alors que Katia réapparut devant lui. Il réclama quelques explications. Qu'elle lui donna sans faire taire ses soupçons. Le ton monta. On le sait par l'enquête de gendarmerie, sur témoignage des voisins.

L'après-midi, vos parents décidèrent toutefois de skier ensemble. On les vit à Corvatch, à l'arrivée du téléski. Ils prirent ensemble la piste noire. A mi-pente, divers skieurs les aperçurent arrêtés dans un virage.

A ce que déclara votre père dans l'heure même qui suivit l'accident, Katia dérapa dans ce virage particulièrement dangereux. Elle tomba, tête en avant. Comme elle avait perdu un de ses skis, il l'aida à le récupérer. L'ayant rechaussé, elle s'accroupit, les pieds dans les fixations, afin de fermer la boucle de sécurité. A cette époque, il fallait encore assurer le ski à la jambe par une lanière de cuir, pour éviter qu'il ne dévalât la piste en cas de chute. Katia, distraite ou fatiguée, n'a pas pris garde qu'elle se trouvait dans le sens de la pente. Soudain, elle commença de glisser. Très vite, toujours accroupie sur ses skis, elle prit une certaine vitesse. Elle était incapable de se relever. Comprit-elle le danger? Comment savoir... En tout cas elle n'eut pas vraiment le temps de réfléchir. Déjà il était trop tard. Peut-être aurait-elle pu se jeter sur le côté? En eut-elle seulement la présence d'esprit? Votre père qui était légèrement en contrebas ne put rien faire, pas même, devant l'imminence de la catastrophe, lui crier « danger ».

Katia alla droit vers l'abîme et, en moins de quelques secondes, bascula dans le vide.

Je voudrais vous épargner les détails, ils sont atroces. Sachez qu'elle ne souffrit pas. Elle se tua sur le coup, cent cinquante mètres en contrebas, contre le roc.

Je devine ce que vous avez pu endurer, au long de ces années, quelles suppositions, quels soupçons peut-être, ont pu rouler dans cette jolie tête. Je conçois que vous hésitiez à écarter tout à fait ces doutes, ces interrogations.

Pour ma part, je crois sincèrement qu'il s'agit d'un accident, de la conséquence épouvantable d'une maladresse ou d'une inattention, et que la seconde tragédie de cette affreuse journée-là traduit le désespoir et non le remords. Votre père fut retrouvé pendu dans la chambre de l'hôtel en fin d'après-midi, alors que la monitrice cherchait vos parents pour vous remettre entre leurs mains. Il n'a laissé aucun indice expliquant son geste.

Je n'imagine pas un instant possible l'hypothèse qu'ici certains ont soulevée. Non, votre père n'a pas, par vengeance de se savoir ou de se croire trompé, poussé ou même seulement laissé Katia tomber dans le précipice, sans faire le geste de la retenir. Non, ce n'est pas par remords qu'il s'est ensuite donné la mort. Je crois au contraire que l'accident l'a bouleversé à un point tel que la vie, soudain, lui a paru insupportable.

Il avait épousé Katia sur le tard. Elle était de douze ans sa cadette. Il avait pour elle une sorte d'adoration qu'il exprimait peu ou de manière fort discrète mais qui était tout à fait avérée. Personne parmi ceux qui les connaissaient n'en aurait douté. C'est une certitude qu'il y eut accident puis geste de désespoir.

N'écoutez personne qui soutiendrait le contraire. On vous tromperait. Ne relisez pas les comptes ren-

dus parus dans la presse locale les jours qui suivirent.
On parle toujours trop dans de telles circonstances
et les voisins se sont fait l'écho de doutes nés de
leur seule imagination. Ils n'y mirent pas de mal-
honnêteté. Ce fut là seulement un effet de leur bêtise.
Deux jeunes femmes, qui partageaient la chambre
d'angle au septième étage de l'hôtel, se surpassèrent
dans le sous-entendu malfaisant. Ce sont les mêmes
qui prétendirent que, chaque nuit de cette semaine-
là, des bruits de joyeuse animation leur parvenaient
au travers du mur. Car les femmes seules, en
vacances, sont éperdues de penser qu'une aventure
puisse passer juste à côté d'elles alors qu'elles
attendent de chaque journée la surprise qu'elles n'ont
jamais connue. Et tant pis si elles finissent par abuser du vin rouge qui est, lors des repas, servi à
discrétion, et si elles remontent se coucher, titu-
bantes, pleurant dans leur rimmel et se regardant
dans le miroir avec affectation, s'admirant d'être si
malheureuses.

Jérôme, quand je le revis, me parla longuement
de ce sombre dimanche. Pour lui, c'est bien ainsi,
de la façon dont je vous les décris, que les événements se sont déroulés.

Lui aussi voulait oublier, ne garder en mémoire
que la jeune fille, cette fois tout à fait perdue, qu'il
avait connue. Son nouveau départ pour l'en Asie est
dû en grande partie à cette disparition.

Pour moi, je garderai toujours de Katia une image

définitive, inespérée à vrai dire, celle qu'elle me laissa la dernière fois que je l'ai rencontrée.

C'était en novembre, quelques semaines avant ces vacances à la neige. Nous sommes allés ensemble ramasser des châtaignes dans un chemin que je connaissais depuis les jeudis du lycée, sur la route de Sainte-Anne, juste avant le pont de chemin du fer de Kerpeter.

C'est un lieu solitaire, le sentier se perd dans les champs, il est peu fréquenté. On pourrait y passer un jour entier sans voir paraître un homme. J'aimais à m'y rendre, pour les châtaignes certes mais surtout pour cette qualité de lumière qui y règne, tamisée et tendre, et qu'on croit à tort l'apanage des grands bois. Ici, seulement quelques arbres, le long des talus. Mais dans le goût que j'ai gardé de manger ces fruits – brûlants encore, marqués de la commotion de la flamme qui les a durcis, fendillés – les circonstances de leur cueillette, le cadre champêtre auquel ils sont liés ajoutent beaucoup à leur saveur. Les châtaignes greffées, plus belles, plus grosses, achetées chez l'épicier ne m'offrent pas le même délice.

L'automne s'accorde avec ses fruits. Il partage avec eux ses teintes intimes, ses rousseurs secrètes, ses odeurs lourdes qui donnent l'idée d'une immense et générale impudeur.

Nous avions progressé le long des haies, dans le craquement des brindilles sèches. Les bogues éclataient sous la poussée des fruits jumeaux, parfois triples, dotés d'un minuscule plumet dérisoire et naïf, et, roulées sous le pied, elles expulsaient leurs richesses couleur de bois verni. L'enveloppe vidée découvrait sa peau intérieure blanche, nacrée, finement irriguée d'un réseau de nervures ton sur ton, et béait comme des lèvres en attente. Les parois épaisses, une fois franchie la protection des piquants poilus, étaient au-dedans douces et lisses.

En fin d'après-midi, la lumière infiltrait les taillis, éclairait par-dessous les grands doigts érigés des feuilles de châtaigniers, impuissants à retenir leurs trésors. La lueur d'un dernier rai de soleil se posa sur la main de Katia lancée parmi les épines, à l'affût des fruits qui avaient roulé sous les feuilles mortes. Nous aurions souhaité demeurer dans ce chemin creux longtemps, longtemps encore, comme si tous les bonheurs du monde valaient celui d'être là, dans la vacuité de l'instant, devant ces châtaignes gorgées de sève dure posées sur la terre meuble, indifférente, comme des cailloux végétatifs et secrets. Un aboiement lointain, la volée d'une cloche nous rappela l'existence, ailleurs, du monde des humains. Nous nous sommes rapprochés l'un de l'autre. Je vous l'ai déjà dit, j'ai toujours été en silence amoureux de Katia. Ce jour-là, sans que rien ne m'y préparât, Katia me tomba dans les bras.

Plus tard, nous sommes rentrés lentement avec, à l'âme, une tristesse légère et ébrieuse, comme sous l'effet revenu de ces chagrins sans objet du temps de la jeunesse. Et nous sûmes tout à coup que nous ne guéririons jamais tout à fait d'avoir été là, un après-midi de novembre, ensemble, sur un chemin de campagne, spectateurs devant la resplendissance de la nature. Avec ce reste de soleil qui s'épuisait.

Et pourtant nous nous sommes quittés. Et puis, comme nous savions que c'était mieux ainsi, nous avons fait semblant de ne plus y penser.

Et puis l'hiver est arrivé.

*Cet ouvrage
réalisé pour le compte des Éditions Phébus
a été composé et achevé d'imprimer
par l'Imprimerie Floch à Mayenne
le 2 août 1990
(29600)*

Dépôt légal : août 1990
I.S.B.N. 2-85940-190-3
I.S.S.N. 0992-5112